EL NIÑO Y SU MUNDO

EL NIÑO Y SU MUNDO

Ayudando a vencer la depresión en la gente joven

Una guía para padres

Carol Fitzpatrick
John Sharry

Nota: Este libro debe interpretarse como un volumen de referencia. La información que contiene está pensada para ayudarle a tomar decisiones adecuadas respecto a la salud y bienestar de su hijo. Ahora bien, si sospecha que el niño tiene algún problema médico, la autora y el editor le recomiendan que consulte a un profesional de la salud.

Título original: *Coping with Depression in Young People*
Publicado en inglés por John Wiley & Sons, Ltd.

Traducción de Joan Carles Guix

Diseño de cubierta: Valerio Viano

Fotografía de cubierta: Grace / Zefa / Stock Photos

Distribución exclusiva:
Ediciones Paidós Ibérica, S.A.
Mariano Cubí 92 - 08021 Barcelona - España
Editorial Paidós, S.A.I.C.F.
Defensa 599 - 1065 Buenos Aires - Argentina
Editorial Paidós Mexicana, S.A.
Rubén Darío 118, col. Moderna - 03510 México D.F. - México

ISBN: 84-9754-206-1
Depósito legal: B-859-2006

Impreso en Hurope, S.L.
Lima, 3 bis - 08030 Barcelona

Impreso en España - *Printed in Spain*

Índice

Agradecimientos 9
Prólogo 11

1. **¿Qué es la depresión?** 13
Sistemas de clasificación de los trastornos depresivos utilizados por los psiquiatras 15
¿Qué se siente? 19
Frecuencia de la depresión en los niños 20
Causas de la depresión 24
¿La depresión en los niños es más frecuente ahora que antes? 24
¿Qué le ocurre a un niño con depresión? 24

2. **Cómo reconocer la depresión en los niños** 27
¿Qué niños son más propensos a sufrir depresión? 27
Cambios en el estado de ánimo y el comportamiento 28

3. **Depresión en niños con dificultades previas** 35
Dificultades en el aprendizaje 36
Trastorno por déficit de atención con hiperactividad (TDAH) 37

Problemas de conducta 42
Síndrome de Asperger 43
Conclusiones 47

4. Otras causas 49
¿Alcohol? 50
¿Drogas? 51
Enfermedades graves 53
Abusos sexuales 53
Esquizofrenia 54
Trastornos en la alimentación 55
Trastorno bipolar (trastorno maníaco-depresivo) 57

5. Pedir ayuda 59
Hablar con otras personas que conocen a tu hijo 60
El entorno familiar 60
Buscando ayuda: otras alternativas 61
Psicólogos y psicoterapeutas 62
Servicios de salud mental para niños y adolescentes 63
Hablar con el adolescente acerca de las posibles alternativas 63
Estrecha la relación con tu hijo 65

6. Tratamiento de la depresión 69
Enfoques 70
Ayuda terapéutica 70
Apoyo paterno 72
Terapia familiar 73
Medicación 75
Hospitalización 77
Hospital de día 78
Duración 80

7. **¿Qué pueden hacer los padres?** 83
Apoyar a tu hijo 83
Abordar los problemas de disciplina y los conflictos 89
Seguir adelante 95
Ayudar a los demás hijos a afrontar la situación 96
Abordar los problemas familiares 98
Pedir consejo a familiares y amigos 98
Lo que no deben hacer los padres 99

8. **Suicidio y autolesiones** 101
Mitos acerca del suicidio 102
¿Hay signos de alerta? 102
¿Qué debes hacer si tienes alguna sospecha? 103
Cómo abordar los intentos de suicidio 103
La disciplina después de un intento de suicidio 105
Cómo abordar los comportamientos de autolesión 108
Suicidio y alcohol 109

9. **Tratamiento de problemas comunes** 111
Depresión y escuela 111
Depresión y exámenes 112
Tu hijo no pedirá ayuda 114
Trastornos del sueño 115
Agresividad e irritabilidad 116
Depresión y bullying 117

10. **Lo que puedes aprender de tu hijo una vez restablecido de su depresión** 119
El estudio *Working Things Out* 120
¿Cómo se sentían durante el período de depresión? 121
¿Cuál creen que pudo haber sido la causa de la depresión? 125

¿Qué fue lo que más los ayudó a superar la depresión? 127
Conclusiones 132

11. Depresión: expectativas de futuro 135
Estadísticas 136
¿«Efectos positivos» de la depresión? 137
El cerebro y la depresión: investigaciones 138
El futuro y tu hijo 139

Acerca de los autores 141

Agradecimientos

Queremos expresar nuestro agradecimiento a todos nuestros colegas de profesión, a nuestra familia y a nuestros amigos por su apoyo incondicional durante la preparación de este libro. Con su estímulo, el viaje ha sido mucho más fácil. Gracias asimismo a los niños, jóvenes y padres con los que hemos tenido el privilegio de poder trabajar a lo largo de los años y cuyas historias nos han permitido escribir este libro. Nunca nos cansaremos de admirar y emocionarnos ante su inagotable tenacidad frente a la adversidad. Su coraje sigue siendo una inestimable fuente de inspiración.

Prólogo

Ser padre es una de las tareas más difíciles que se pueden realizar, aunque sus recompensas son igualmente extraordinarias. Como padres, queremos hacer bien las cosas, pero nada ni nadie nos entrena para conseguirlo, y quien más quien menos se deja llevar por el instinto, la inspiración y la buena voluntad. Se nos suele decir que todo marcha bien si nuestros hijos están bien, parecen razonablemente felices en la escuela, tienen unos cuantos amigos y algunos intereses en la vida, y somos capaces de comunicarnos con ellos a uno u otro nivel. Los padres de adolescentes son conscientes de que tarde o temprano tendrán que lidiar con situaciones tales como cambios en el estado de ánimo, altibajos emocionales, «luchas» de poder o desafíos de la autoridad, pues forman parte de la adolescencia. Pero ser padre de un niño que sufre depresión puede ser una experiencia difícil que en la mayoría de las ocasiones no sabemos cómo afrontar. La depresión es un problema que afecta a un 5% de los adolescentes y un 2% de los niños más pequeños, y a menudo provoca alteraciones drásticas en su comportamiento, respuestas emocionales y relaciones con quienes forman parte de su entorno más próximo.

Descubrir que su hijo tiene depresión es muy duro para un

padre. Entre sospechar que quizá algo anda mal y llegar al convencimiento de que se trata de una depresión media un gran trecho. Tal vez no sepas cómo reaccionar y temas empeorar aún más las cosas. Conocías perfectamente a tu hijo, pero ahora apenas consigues reconocer a la persona en la que se ha transformado. No sabes cómo ayudarlo, adónde acudir o incluso si ni tan siquiera deberías buscar ayuda. Te asaltan mil temores: enfermedad mental, suicidio, etc. Te preguntas si habrá otro padre en alguna otra parte que se haya sentido así.

Este libro da respuesta a una infinidad de preguntas que se formulan los padres acerca de su hijo con depresión. ¿Cómo ayudarlo? ¿Cómo transmitirle la esperanza de que todo pasará, que vendrán tiempos mejores y que tal vez mañana vuelva a lucir el sol? ¿Cómo evitar las implicaciones negativas que sin duda acarrea esta situación en el entorno familiar?

Capítulo 1

¿Qué es la depresión?

La depresión es una emoción con la que quien más quien menos está familiarizado. Un espacio en blanco en el pensamiento, un sentimiento de irritación hacia cuantos nos rodean, una sensación de vacío, una pregunta acerca del sentido de la vida y su utilidad, una incapacidad de sentirnos felices. ¿Me equivoco si digo que todos hemos experimentado de uno u otro modo algunos de estos sentimientos? Suelen aparecer cuando estamos cansados o extremadamente agobiados por cualquier situación, cuando nos hemos disgustado con un ser querido o cuando una relación no funciona como sería de desear. La mayoría de las veces somos capaces de comprender la razón que ha propiciado estos sentimientos y que estos sentimientos remitirán en breve. Esto es la depresión, «el sentimiento», «la sensación», una parte de la amplísima variedad de emociones normales que nos hacen seres humanos y que conforman en gran medida nuestra experiencia ordinaria: alegría, miedo o felicidad.

Cuando oímos a alguien decir «estoy deprimido», imaginamos tener una idea bastante aproximada de cómo se siente a partir de nuestra propia experiencia. Su estado de ánimo es una reacción a algo negativo que está ocurriendo en su vida y confiamos en su más o menos rápida recuperación. Esto es lo que la mayoría de la gente suele pensar cuando oye el término «depresión».

Cuando los profesionales de la salud mental emplean este término, se refieren casi siempre a un «trastorno depresivo», algo que comparte algunos de los rasgos característicos que acabamos de describir, aunque también con marcadas diferencias. El término «trastorno depresivo» significa que la persona presenta una serie de síntomas, incluyendo un funesto estado anímico, como ya hemos mencionado anteriormente, aunque a un nivel mucho más profundo, experimentando lo que se llama «desequilibrio funcional». En otras palabras, se muestra incapaz de seguir el curso normal de los acontecimientos en su vida y atender sus actividades cotidianas. Los sistemas de clasificación que usan los psiquiatras en el diagnóstico de los trastornos depresivos se detallan en las Tablas 1.1 y 1.2.

Muchos de los síntomas allí descritos son comunes a la infancia y adolescencia, aunque la mayoría de nosotros también los experimentamos de vez en cuando y no implican un trastorno depresivo. Lo que realmente importa es la combinación y gravedad de los síntomas y su efecto en el día a día y en la capacidad funcional. En los niños y adolescentes, la irritabilidad suele ser muy habitual y provoca conflictos en el seno familiar, con los amigos y profesores. Puede desembocar en un círculo vicioso de depresión → conflicto → agravamiento de la depresión.

Cuando el joven deprimido y quienes lo rodean entran en este círculo, la conmoción es inevitable. Como padre, quieres ayudar a tu hijo, pero podrías sentirte resentido y abatido por su hostilidad o aparente indiferencia. Tienes la impresión de estar en un callejón sin salida. Pero lo cierto es que hay formas de ayudarlo que pueden recomponer paulatinamente situaciones de este tipo. Hablaremos de ello largo y tendido a lo largo de los siguientes capítulos.

SISTEMAS DE CLASIFICACIÓN DE LOS TRASTORNOS DEPRESIVOS UTILIZADOS POR LOS PSIQUIATRAS

Diagnóstico de episodios depresivos graves

Tabla 1.1. Sistema de la Organización Mundial de la Salud (ICD-10*)

El individuo suele experimentar estados de ánimo depresivos, pérdida de interés y alegría, y disminución de energía que desemboca en una fatiga extrema y reducción del grado de actividad. El cansancio después del más mínimo esfuerzo es muy frecuente. Otros síntomas habituales son los siguientes:

a) Pérdida de concentración y atención.
b) Pérdida de la autoestima y seguridad en uno mismo.
c) Sentimientos de culpabilidad e inutilidad.
d) Visión pesimista del futuro.
e) Ideas o actos de autolesión o suicidio.
f) Trastornos del sueño.
g) Pérdida de apetito.

La investigación clínica muestra acusadas alteraciones individuales, algunas de las cuales, las atípicas, suelen ser muy comunes en la adolescencia. Se evidencia un estado de ansiedad, estrés y agitación motriz, aunque los cambios de ánimo pueden estar enmascarados por factores adicionales tales como irritabilidad, consumo excesivo de alcohol, comportamiento histriónico, exacerbación de síntomas fóbicos u obsesivos anteriores o preocupaciones hipocondríacas.

En general se suele necesitar un período de dos semanas para el diagnóstico. Los episodios pueden ser leves, moderados o graves.

* *The ICD-10 Classification of Mental and Behavioural Disorders: Clinical Descriptions and Diagnostic Guidelines*, Organización Mundial de la Salud, Ginebra, 1992. Reproducido con autorización. ICD-10 = International Classification of Diseases, 10.ª revisión.

Tabla 1.2. Sistema Americano (DSM-IV*)

Cinco o más de los síntomas siguientes se presentan durante el período inicial de dos semanas y suponen un cambio en la capacidad funcional previa. Por lo menos uno de ellos es (a) estado de ánimo depresivo o (b) pérdida de interés o satisfacción:

a) Estado de ánimo depresivo durante la mayor parte del día, casi a diario, ya sea por apreciación subjetiva del individuo (sentimientos de tristeza o vacío interior) u observación objetiva externa (llanto, etc.). Nota: Los niños y adolescentes pueden presentar un estado irritable.
b) Pérdida acusada de interés o satisfacción en todas o casi todas las actividades cotidianas, casi a diario (por apreciación subjetiva del individuo u observación objetiva externa).
c) Pérdida importante de peso sin sujeción a dieta, o aumento de peso, o aumento o disminución del apetito casi a diario.
d) Insomnio o hipersomnio casi a diario.
e) Retardo psicomotriz o agitación casi a diario.
f) Fatiga o pérdida de energía casi a diario.
g) Sentimientos de inutilidad, fracaso o culpabilidad extrema.
h) Disminución de la capacidad de raciocinio o concentración, o indecisión.
i) Pensamientos recurrentes de muerte, ideas de suicidio sin un plan específico, intentos de suicidio o plan específico de suicidio.

Los síntomas no deben ser consecuencia de otros trastornos mentales o de los efectos de las drogas o enfermedad. Deben provocar un estrés significativo o desequilibrio social, ocupacional o en importantes áreas de funcionamiento para garantizar un diagnóstico de Episodio Depresivo Grave.

* *Diagnostic and Statistical Manual of Mental Disorders* (4.ª edición). American Psychiatric Association, Washington DC, 1994. Reimpreso con autorización.

Los trastornos depresivos se presentan en múltiples grados de gravedad, desde trastornos leves, en los que la persona muestra los síntomas descritos y se siente menos eficaz en sus tareas, menos interesada y menos espontánea que de costumbre, hasta episodios graves en los que puede sentirse incapaz de levantarse de la cama, de comunicarse, de comer o beber, en cuyo caso puede requerir atención médica de urgencia. Y entre estos extremos, los niveles intermedios son innumerables. En realidad no existe lo que se podría denominar «caso típico de trastorno depresivo» en un niño o adolescente, sino que pueden diferir de uno a otro, al igual que no hay dos personas idénticas. El caso siguiente es un buen ejemplo de una adolescente con trastorno depresivo.

Historia de Sarah

Hace ocho semanas que Sarah, de 13 años, no asiste a la escuela. Hace tres meses tuvo la gripe y estuvo en casa quince días. Quería regresar cuanto antes; es una estudiante responsable que se esfuerza en sus tareas escolares y a quien le gusta destacar en clase, ser la primera en todo. Pero llegado el momento, le asaltó una sensación de miedo difícil de describir. Se siente así cuando no está en casa, pero muy especialmente a la hora de ir a la escuela. Le preocupa no ser capaz de rendir al máximo y verse superada por sus compañeros. No tiene ningún amigo o amiga especial en clase, aunque se lleva bastante bien con algunas chicas que la llamaban para preguntarle qué tal estaba de la gripe y cuándo estaría recuperada. En cualquier caso, a causa del notorio retraimiento de Sarah, han dejado de llamarla. Se siente cansada, falta de energía y duerme más de lo habitual. Incluso dormiría más de no ser porque su madre la despierta cada mañana a la hora de costumbre para ir a la escuela con la esperanza de que se sienta capaz de hacerlo, pero es en vano. Sarah está irritable y disgustada la mayor parte del tiempo, pero muy especialmente por la mañana, y la atmósfera en casa es cada vez más tensa.

Sus padres están llegando al límite. La han llevado al médico, quien ha solicitado un chequeo general. El resultado ha sido normal. El hermano mayor de Sarah cree que su hermana se siente excesivamente agobiada, culpando a sus padres de «ser demasiado duros» con ella. Papá se pregunta si estarán haciendo lo correcto o deberían buscar otras alternativas, pero se contiene al comprobar lo mal que se siente su hija en ocasiones. Por su parte, su madre alterna sentimientos de tristeza por Sarah y de enojo por considerarla una ingrata. ¡Qué lejos quedan los días de aquella Sarah de antes! También mamá sufrió estados depresivos en el pasado y se pregunta si no podría tratarse de lo mismo, aunque se siente abrumada por la situación e insegura acerca de qué camino tomar.

La depresión en los niños y adolescentes a menudo presenta algunos de los síntomas que acabamos de describir, aunque podrían aparecer de formas diferentes. Las razones son múltiples. Con frecuencia, los jóvenes, y en particular los niños, carecen del lenguaje apropiado para expresar cómo se sienten. Experimentan sentimientos, pero son incapaces de describirlos. Los preadolescentes y adolescentes, por su parte, quizá dispongan de aquel lenguaje, pero pueden mostrarse reacios a hablar de su estado de ánimo, creyendo casi siempre que los demás pensarán que están locos, un sentimiento que, por cierto, a menudo tienen de sí mismos. Bajo los efectos de un trastorno depresivo no hay palabras con las que expresar adecuadamente algunos de los sentimientos experimentados, y sólo una vez recuperados son capaces de explicarlo. En el siguiente apartado, «¿Qué se siente?», se incluyen algunas descripciones textuales de chicos que pasaron por un trastorno depresivo y que han dado su consentimiento a su inclusión en este libro.

¿QUÉ SE SIENTE?

Citas de adolescentes (véase también el Capítulo 10; información y citas relacionadas con experiencias depresivas de chicos y chicas):

> *Era como un miedo interior. A todas horas. Cuando estaba con mis amigos remitía un poco, pero siempre reaparecía.*
>
> Jack, 15 años

> *Empecé a preocuparme por todo, incluso por cosas que nunca me habían importado. Tenía tanto miedo a que me preguntaran en clase que solía «ponerme enferma» cada mañana. Había días en que ni siquiera podía ir.*
>
> Nessa, 13 años

> *Estaba enfadada con todo el mundo, me molestaban, sobre todo mamá, que no paraba de preguntarme qué me pasaba.*
>
> Laura, 14 años

> *No me atrevía a hablar con nadie y no sabía por qué. Quería morirme, era una idea que me perseguía a todas horas. No paraba de pensar en la muerte y en estar muerta. Por suerte, todo pasó.*
>
> Sue, 15 años

> *A veces me sentía atrapado, agobiado, y otras tenía la sensación de estar completamente perdido, sin saber qué hacer. Y luego estaba la terrible apatía ante la vida, el universo y todo en general.*
>
> David, 16 años

> *Estaba muy cansado, no me apetecía levantarme de la cama, me dolía el estómago y me estallaba la cabeza.*
>
> John, 15 años

Frecuencia de la depresión en los niños

Se han realizado muchos estudios clínicos sobre la depresión infantil y adolescente, entrevistando a muchísimos jóvenes y padres. Se trata de entrevistas psiquiátricas en profundidad que permiten llegar a un diagnóstico formal. Los resultados han sido invariables: alrededor del 5% de los adolescentes sufren un trastorno depresivo, lo que representa aproximadamente 25 alumnos en una escuela de secundaria de 500 alumnos. Asimismo, la depresión aparece en un 2% de los niños mayorcitos (preadolescentes) y probablemente en otros más pequeños, si bien no se disponen de datos específicos para este grupo de edad. La depresión afecta a niños de todos los trasfondos culturales y a menudo está asociada a otros problemas emocionales y de conducta. En la infancia la depresión parece producirse con igual frecuencia en niños y niñas, pero en la adolescencia es más común en las chichas. En cualquier caso, esto es algo que no se puede asegurar a ciencia cierta, ya que los adolescentes varones se muestran muchísimo más reticentes a hablar con sus padres de sus sentimientos, y mucho menos con los profesionales. Es probable que la incidencia sea la misma en los chicos que en las chicas, aunque se presenta de forma diferente (más enfado y hostilidad impulsiva, etc.).

En la infancia y adolescencia la depresión suele pasar desapercibida y por lo tanto no ser tratada médicamente. Se suele considerar al chico como un individuo inestable, difícil, problemático o rebelde, pero casi nunca como depresivo. Esto se debe en parte a que a los padres les resulta difícil imaginar que sus hijos puedan sufrir una depresión de características similares a las propias de la edad adulta, y en parte también porque éstos suelen expresar su malestar de maneras diferentes a las de los adultos. Los jóvenes casi nunca, o nunca, se quejan de estar disgustados, aburridos o de sentirse solos, sino que manifiestan sus sentimientos negativos a través de comportamientos hostiles y agresivos frente a quienes están intentando ayudarlos.

Historia de Tom

Tom, de 14 años, parece haber experimentado «un cambio radical de personalidad», o por lo menos así lo cree su madre. Su estado de ánimo se ve sometido a constantes altibajos, se muestra irritable y verbalmente abusivo con el resto de la familia, negándose a hablar de la cuestión. Pasa la mayor parte del tiempo en su habitación, donde come, cena y se encierra con llave durante horas y horas. Ya no sale y parece haber perdido todo interés por nada que no sea comer, en lo que invierte una buena parte de su tiempo. Ha ganado mucho peso y su madre lo achaca a la falta de actividad y la sobrealimentación. Teme que esté consumiendo drogas, aunque no tiene ni idea de cómo podría ingeniárselas para conseguirlas, pues apenas sale de casa y no tiene amigos. Cuando la familia ya se ha acostado, sigue despierto, pero por las mañanas es imposible despertarlo y dormiría hasta media tarde si se lo permitieran. En ocasiones su madre deja que lo haga, ya que cuando está despierto la atmósfera en casa es insoportable. De vez en cuando tiene «un buen día» y se puede hablar con él, aunque se muestra reacio a hacerlo y le dice a su madre que «no se meta donde no la llaman».

Su madre es consciente de que en la adolescencia pueden producirse cambios en el estado de ánimo, no en balde ha criado a otros dos hijos, y se pregunta si no será éste un caso extremo de comportamiento adolescente normal.

(continúa en la p. 62)

Causas de la depresión

En estas últimas décadas se han realizado enormes avances en la investigación de las causas de los trastornos depresivos, aunque siguen siendo difíciles de comprender en profundidad. No existe una causa única de la depresión, sino que en muchas situaciones se detecta una interacción entre una vulnerabilidad genética y adversidades en la vida. Muchos niños y adolescentes arrastran un historial familiar de trastornos depresivos en sus padres, tíos o abuelos, aunque lo cierto es, y así se ha podido constatar, un historial familiar de depresión no tiene por qué tener necesariamente una base genética. Un niño que ha crecido en compañía de un miembro de la familia depresivo puede responder ante una adversidad comportándose tal como ha visto comportarse a su «modelo de conducta», mostrándose más propenso a desarrollar una depresión como una forma de «comportamiento aprendido». Sin embargo, las investigaciones han demostrado que los factores genéticos juegan un papel importante en muchos tipos de depresión. Lo que parece haber sido heredado no es un gen relacionado específicamente con la depresión, sino una vulnerabilidad genética, aunque es probable que muchas personas experimenten esta misma vulnerabilidad sin haber sufrido jamás un trastorno depresivo severo. Esto puede ser debido a que nunca se han enfrentado a una combinación de situaciones adversas en un momento determinado en el tiempo o porque, además de su vulnerabilidad genética, gozan de uno o muchos factores protectores, tales como, especialmente en los niños, una relación estable con por lo menos uno de los padres y un temperamento positivo y seguro de sí mismo.

Entre los eventos adversos en la vida que pueden predisponer a los jóvenes a desarrollar una depresión se incluyen pérdidas de distintos tipos, como por ejemplo la de un progenitor a causa de una separación o divorcio, pérdida de autoestima como consecuencia del bullying, es decir, el acoso escolar,* de actitudes abusivas o de fracasos. Vivir en un entorno familiar conflictivo o en el que uno de los padres tiene un problema de salud mental, como en el caso de alcoholismo o depresión, también puede predisponerlos a desarrollarla. La mayoría de los niños y adolescentes aquejados de trastornos físicos crónicos tales como fibrosis quística, insuficiencia renal crónica o diabetes, no suelen desarrollar una depresión, aunque algunos lo hacen, sobre todo en la adolescencia, cuando son capaces por primera vez de percibir la auténtica naturaleza de sus problemas. Algunas patologías agudas, como la fiebre glandular, pueden precipitar este tipo de trastornos, al igual que otras enfermedades víricas.

Los jóvenes perfeccionistas y extremadamente aurorresponsables parecen mostrar una mayor propensión al desarrollo de una depresión que sus iguales más «despreocupados», aunque a decir verdad, se puede presentar en niños y adolescentes de cualquier tipo de personalidad. Es muy infrecuente la detección de una sola causa. Lo más habitual es que converja una multi-

* Véase, en esta misma colección, *Bullying. El acoso escolar*, Oniro, Barcelona, 2005.

plicidad de factores adversos, algunos de los cuales pueden parecer triviales a los ojos del observador, pero que predisponen a una persona vulnerable a desarrollar una depresión.

Los jóvenes con problemas de comportamiento consolidados, dificultades en el aprendizaje o trastorno por déficit de atención con hiperactividad (TDAH) son más propensos de lo normal a la depresión, tal vez debido a las múltiples experiencias negativas que les ha tocado vivir y entre las que figuran dificultades en las relaciones de amistad, fracaso escolar y crítica constante. La autoestima de estos niños suele ser mínima, oculta a menudo bajo un velo de agresividad y desparpajo. En el Capítulo 3 se examinarán más detenidamente estos problemas.

¿La depresión en los niños es más frecuente ahora que antes?

Es una pregunta de difícil respuesta, puesto que no disponemos de datos estadísticos en relación con la depresión en épocas pasadas. Sólo entre los quince y veinte últimos años se han elaborado estimaciones precisas acerca de los índices de depresión en los niños y adolescentes. En cualquier caso, el número de jóvenes que acuden a los centros de asistencia para recibir un tratamiento de depresión parece ir en aumento, aunque eso podría ser debido a muchos factores, incluyendo el mayor número de servicios especializados disponibles, la mayor información y la también mayor voluntad de las familias a buscar ayuda.

¿Qué le ocurre a un niño con depresión?

Las perspectivas son optimistas para los niños y adolescentes depresivos. En efecto, el trastorno tiende a remitir con o sin tratamiento. Un estudio reciente realizado en un grupo de adolescentes aquejados de depresión demostraron que desaparecía a los dos años del diagnóstico inicial en el 80% del grupo. Muchos jóvenes con trastornos depresivos no vuelven a sufrirlos, pero en otros se observa una tendencia recurrente, especialmente en situaciones de estrés o de cambio en su vida, como en el caso de abandonar el hogar familiar, tener un hijo, perder un trabajo o un fracaso en la relación de pareja. La situación es sin duda alguna inevitable, pero no hay que olvidar que el tratamiento de la depresión implica ayudar al niño o adolescente y a su familia a identificar los síntomas incipientes del trastorno, de tal modo que, llegado el caso, sean capaces de intervenir activamente para evitar el desarrollo completo de la depresión.

No es habitual que la depresión se repita a intervalos regulares o que se alterne con períodos de elevado estado de ánimo, una condición llamada trastorno bipolar o maníaco-depresivo, que se puede tratar o incluso prevenir su reiteración mediante los enfoques clínicos descritos en el Capítulo 4.

El suicidio es el mayor de los temores que abrigan los padres de hijos con depresión, lo cual resulta del todo comprensible habida cuenta de los increíblemente crecientes índices de suicidio entre la población adolescente, sobre todo en los varones, en estos últimos años. Probablemente no sea posible evitar que alguien, cualquiera que sea su edad, decida quitarse la vida si está plenamente resuelto a hacerlo, pero es indudable que hay formas de reducir el riesgo. Como padre puedes hacer muchísimas cosas para hacer frente al miedo al suicidio. Lo veremos en el Capítulo 8.

Aunque la mayoría de los jóvenes con depresión se recuperan, la situación se puede dilatar muchísimo en el tiempo. Dos años en la vida de un adolescente, cuando tantas y tantas cosas positivas podrían estar ocurriéndole en términos de amistad, estudio, deporte y diversión, es una eternidad. En muchos casos, tu ayuda puede ser decisiva. Tal vez no seas capaz de erradicar la depresión, pero sí puedes adoptar medidas para asegurar que tu hijo o tu hija recibe la asistencia que necesita y que tanto tú como el resto de la familia lo apoyáis, mientras sigues adelante con tu propia vida intentando transmitir a tu hijo un mensaje de esperanza.

Capítulo 2

Cómo reconocer la depresión en los niños

Puede ser difícil reconocer una depresión en los jóvenes. Muchos adolescentes tienen «altibajos» en su estado de ánimo, mostrándose amables, agradables, felices y confiados un día, y retraídos, ensimismados, absortos, silenciosos y malhumorados al siguiente. No existe una clara línea divisoria entre estos «cambios normales en el estado anímico» de la adolescencia y los trastornos depresivos, pero sí algunos indicadores que pueden ayudar a los padres a decidir si su hijo sufre una depresión.

¿QUÉ NIÑOS SON MÁS PROPENSOS A SUFRIR DEPRESIÓN?

La depresión puede afectar a cualquiera, aunque algunos niños son más propensos que otros a desarrollarla, como en el caso de los que han tenido problemas emocionales o de comportamiento anteriores; los que padecen un trastorno por déficit de atención con hiperactividad (TDAH); quienes han sufrido abusos físicos, emocionales o sexuales; los que tienen dificultades en sus interacciones sociales, en especial aquellos que no consiguen relacionarse bien con sus iguales. En el Capítulo 3 analizaremos más a fondo cómo influye la depresión en los niños con necesidades especiales y otras dificultades. Los años de adolescencia pueden resultar particularmente problemáticos para estos chicos, pues se hallan en un momento de su vida de una presión extrema que los conmina a adaptarse y a ajustar sus pautas de conducta a las de sus iguales.

Los niños y adolescentes con un historial de depresión en un pariente próximo también corren un mayor riesgo de desarrollarla. Si has sufrido de depresión en el pasado, debes estar muy atento a los posibles signos de alerta en tu hijo adolescente.

Los padres y profesores son decisivos a la hora de identificar los síntomas de una depresión en los jóvenes. Los conocen incluso mejor que los profesionales de la salud mental y se hallan en una posición más ventajosa para reconocer las alteraciones en el estado de ánimo o comportamiento que podrían indicar un trastorno depresivo. Por su parte, los chicos casi nunca se quejan de sentirse deprimidos. Pueden decir que están «cansados» o «aburridos», pero es muy infrecuente que reconozcan su propia depresión o que pidan ayuda. Dependen de quienes los rodean para que identifiquen sus dificultades de interacción y las conductas anómalas, y ocuparse de buscar asistencia.

Cambios en el estado de ánimo y el comportamiento

Si bien es cierto que la mayoría de los adolescentes experimentan cambios en el comportamiento y el estado de ánimo breves y pasajeros, los que no remiten y provocan el sufrimiento del joven incapacitándolo para seguir adelante con su vida cotidiana con una razonable normalidad pueden ser una señal de trastorno depresivo.

Historia de John

John, de 14 años, siempre ha sido tímido y sensible. De niño era feliz en compañía de su familia, que disfrutaba de su particular sentido del humor y de sus inusuales aficiones; le gustaba coleccionar carátulas de cajas de cerillas de todo el mundo y dedicaba mucho tiempo a organizar y catalogar su colección. La escuela primaria fue una experiencia mixta para él; congeniaba con algunos profesores, pero no con otros, y no tenía amigos íntimos, aun a pesar de que a la mayoría de los niños les gustaba estar con él.

Las cosas empezaron a cambiar al pasar a secundaria, a los 13 años. Aunque conocía a muchos de sus compañeros de clase, pues había coincidido con ellos en primaria, éstos parecían predispuestos a formar grupos de amistad con más facilidad que John, y con frecuencia él prefería estar solo en el recreo. Su interés por el estudio disminuyó considerablemente y casi nunca hacía las tareas escolares. Sus padres se preguntaban si no estaría sometido a bullying, pero él lo negaba reiteradamente.

Su segundo año en secundaria fue aún más difícil si cabe que el anterior. Nunca se había negado a ir a la escuela, pero de pronto, a raíz de un sonoro combate dialéctico con su madre, empezó a mostrar una actitud de absoluto rechazo, negándose a levantarse de la cama por las mañanas. Aparte de para ir a la escuela, apenas salía de casa y parecía haber perdido el interés por la higiene personal y por el aspecto externo, una nueva fuente de conflicto en la familia. La situación empeoró después de una semana especialmente difícil cuando sus padres, que habían llegado al límite de la tolerancia, decidieron hablar seriamente con él. Su amable y sensible John de antes les dijo que «se largaran con viento fresco» y que preferiría estar muerto a seguir viviendo como lo hacía. Sus padres estaban consternados y no sabían qué camino tomar. Desesperada, la madre de John estaba perdiendo la salud bajo tanto estrés y acudió al médico. Durante la visita le contó lo que estaba sucediendo. El doctor la escuchó con atención y le pidió que volviera con su hijo. Problema añadido. ¿Cómo persuadir a John? Era evidente que se mostraría reacio a visitar al médico. Eligieron un momento en que parecía menos irritable que de costumbre, le explicaron lo preocupados que estaban y que sería aconsejable un chequeo.

Para su sorpresa, John aceptó y dijo que iría con su padre. En el coche, de camino a la consulta, el muchacho decidió contarle cómo se sentía en realidad. Por fin se había dado cuenta de que necesitaba ayuda.

En el resumen de este capítulo analizaremos los cambios en el estado de ánimo o de comportamiento comunes a los adolescentes con depresión.

Irritabilidad y enojo

Las desavenencias y discusiones con los padres forman parte de la adolescencia. Durante este período los chicos desarrollan sus propias ideas y puntos de vista. A menudo se muestran intolerantes con sus padres y prefieren la compañía y las opiniones de sus amigos. La mayoría de los padres lo comprenden; saben que sus hijos están desarrollando su sentido de la independencia y se preparan para la vida adulta. Los adolescentes depresivos no sólo se muestran intolerantes, sino también extremadamente irritables y enojados, y es en el seno familiar donde estas situaciones se evidencian con mayor claridad. No es de extrañar que el enfado y mal humor acaben provocando conflictos familiares que no hacen sino empeorar las cosas. Merece pues la pena considerar si un adolescente iracundo, hostil y negativo podría sufrir una depresión.

Preocupación excesiva

Los adolescentes depresivos experimentan con suma frecuencia estados de ansiedad y preocupaciones de los que pueden estar o no dispuestos a hablar. En ocasiones temen que algo malo pueda ocurrirles a sus padres y no concilian el sueño hasta que ambos están «sanos y salvos» en casa, o tienen miedo a ir a la escuela por si papá y mamá pudieran sufrir algún daño en su ausencia.

La preocupación por su aspecto y por lo que los demás puedan pensar de ellos también forma parte de un comportamiento adolescente normal, pero cuando esta situación se vuelve agobiante y les impide seguir adelante en su día a día, se debería tomar en consideración una posible depresión.

Historia de Jenny

Jenny era una niña segura de sí misma a la que le gustaba el teatro, cantar en el coro de la escuela y jugar a las «pandillas de chicas duras» con sus amigas, donde solía asumir un rol de líder.

A medida que se aproximaba a la adolescencia, los padres de Jenny observaron que parecía estar perdiendo la confianza en sí misma. Ya no quería actuar, abandonó las clases de interpretación, dejó el coro y empezó a preocuparse cada vez más por su aspecto. Pasaba horas frente al espejo estudiándose desde todos los ángulos. Un día dijo a su madre que estaba gorda y fea, si bien a los ojos de sus padres era una preciosa adolescente. Casi nunca salía de casa excepto para ir a la escuela y se levantaba muy temprano para tener el tiempo necesario para acicalarse. Los esfuerzos de sus padres por convencerla de que su aspecto era estupendo fueron en vano, y transcurrido algún tiempo se dieron por vencidos, enojándose y sintiéndose frustrados por su comportamiento. Sabían que preocuparse por la apariencia era normal en la adolescencia, pero la vida de Jenny estaba saturada de este tipo de cavilaciones y tenían la sensación de que aquello no podía ser «normal».

Fracaso en el rendimiento escolar

A los jóvenes con depresión les resulta muy difícil concentrarse en todo cuanto requiere un esfuerzo mental sostenido, lo cual puede repercutir negativamente en el rendimiento escolar, y en el caso de chicos extremadamente perfeccionistas, conducir a un exceso de horas de estudio, aunque siempre con la invariable impresión subjetiva de no conseguir alcanzar los niveles de éxito deseados.

Un dilema para algunos padres es la capacidad de sus hijos para concentrarse, a menudo durante largas horas, en los juegos de ordenador, que con su rápida sucesión de imágenes les proporciona un constante estímulo. Esto suele enojar a sus padres. A veces, los jóvenes que sufren depresión dicen que el ordenador es una forma de autoterapia, un tiempo que les permite escapar del alocado torbellino mental que los constriñe.

Malestar físico

Los malestares físicos poco importantes forman parte de la vida cotidiana, y en la mayoría de los casos ni siquiera nos quejamos, más bien los soportamos hasta que desaparecen. Es algo normal. Pero muchas veces los adolescentes deprimidos se preocupan sobremanera por el malestar que experimentan, convencidos de que podrían estar desarrollando una grave enfermedad. No son «dolores imaginarios», sino que realmente se sienten muy mal y eso les provoca un estado de extrema ansiedad, al tiempo que ocasiona frustración y enfado en los padres y doctores cuando no logran descubrir una causa física.

David, un adolescente de 16 años, describe cómo se sentía cuando estaba deprimido:

> *No hay palabras para explicarlo. Quiero decir que me sentía realmente enfermo. Había veces que el malestar físico era insoportable, ya sabes, espasmos intestinales o dolores de cabeza. Tomabas un par de píldoras y se te pasaba. De ahí el convencimiento de estar irremediablemente enfermo. Me sentía muy fatigado. Era una «verdadera» enfermedad, aunque no sabría cómo llamarla.*

Conductas suicidas

Muchos estudios han demostrado que los pensamientos pasajeros de suicidio son habituales en la adolescencia. Suelen ser una reacción a una pelea, una relación sentimental rota, un fracaso o una profunda preocupación. Estas ideas suelen desaparecer por sí solas y no desembocan en un auténtico comportamiento suicida.

Pero en los chicos que sufren una depresión, las ideas de suicidio no son transitorias, sino arraigadas, constantemente ahí, ocultas bajo una superficie de mayor o menor normalidad. Pueden hablar de la muerte o el suicidio, y conversaciones de este tipo no deberían ser ignoradas bajo ningún concepto. Es un mito que quien habla de suicidio nunca lo comete, y aunque no es una conducta usual, en Irlanda, por ejemplo, es una causa común de muerte en los varones entre las últimas etapas de la adolescencia y los veintipocos años, y también una de las más importantes en este grupo de edad en el Reino Unido.

Aunque afortunadamente los casos de suicidio son relativamente escasos, los comportamientos de autolesión tales como la ingesta de sobredosis de medicamentos o cortes en las muñecas y los brazos son muchísimo más habituales y pueden ser un indicativo de depresión. Los jóvenes que se autolesionan de esta forma no suelen mostrar verdaderas tendencias suicidas. Muchos de ellos dicen que el dolor derivado de herirse les supone un alivio temporal de los asfixiantes sentimientos de enojo, tristeza o frustración. Esto se puede considerar como un signo de alarma de que el muchacho en cuestión necesita ayuda tanto si sufre una depresión como si no. En el Capítulo 8 se examinan más detenidamente otros detalles asociados a la autolesión y el suicidio.

Reconocer una depresión en tu hijo o hija no es fácil, pero los cambios prolongados en el estado de ánimo o una conducta que le impida ser capaz de seguir adelante en su vida diaria, o tal vez comportamientos suicidas o de autolesión, sugieren la existencia de un trastorno depresivo. En caso de duda, confía en tu instinto. Conoces a tu hijo mejor que nadie y su bienestar es tu máxima prioridad.

Capítulo 3

Depresión en niños con dificultades previas

Los trastornos depresivos en los niños casi nunca son evidentes, ni se reconocen con facilidad, ni están exentos de dificultades. Los padres que buscan información en libros o internet acerca de los problemas de sus hijos descubren a menudo que los síntomas que advierten son comunes a diferentes condiciones clínicas. Por ejemplo, un escaso período de atención o poca concentración puede ser consecuencia de una enfermedad física, ansiedad, trastorno por déficit de atención con hiperactividad (TDAH), desequilibrio en el aprendizaje, trastorno autista, consumo de drogas o alcohol y otras condiciones, incluida la depresión. El solapamiento entre muchos problemas de salud mental en los niños es tan apreciable que con frecuencia los trastornos van de la mano de otras condiciones. Esto puede resultar muy confuso para los padres, que quieren respuestas claras acerca de la naturaleza de las dificultades de sus hijos.

Los profesionales de la salud mental suelen dedicar mucho tiempo a la primera visita con un niño y su familia para confeccionar un historial completo de su desarrollo y de cómo se desenvuelven en las diferentes áreas de la vida. Esta amplia panorámica los ayuda a determinar en cuáles se presentan la mayoría de los problemas, qué diagnóstico es el más adecuado a tenor de los mismos y cómo orientar la asistencia médica.

Los niños con dificultades en el tratamiento de sus emociones o comportamientos y los que tienen trastornos en el aprendizaje o problemas de desarrollo son más propensos a la depresión que los demás. Las causas son complejas e incluyen no sólo posibles vulnerabilidades físicas o biológicas que afectan al cerebro, sino también el efecto negativo en la autoestima derivado de dificultades que persisten en el tiempo.

Cualquier problema emocional o conductual se puede asociar a un aumento en el riesgo de la depresión, aunque en algunos trastornos este vínculo es más evidente. En los niños con dificultades de aprendizaje, TDAH, Trastorno con Conducta Oposicional y Desafiante o anomalías en el comportamiento, así como los que padecen el síndrome de Asperger, el riesgo de desarrollar una depresión en la adolescencia es mayor.

Dificultades en el aprendizaje

Puede ser un desequilibrio general en el aprendizaje que afecte a todas las áreas de la capacidad de aprender del niño o una discapacidad específica, como en el caso de las dificultades de lectura (dislexia) o problemas de escritura. Esta capacidad mermada le plantea importantes problemas, esforzándose a diario para mantenerse al nivel de sus iguales sin conseguirlo. Muchos de estos niños son perfectamente conscientes de sus dificultades y a menudo tienen una pobre imagen de sí mismos. Estos niños a menudo reciben un apoyo extraordinario y ayuda adicional en primaria, pero al pasar a la educación secundaria, en ocasiones aquel apoyo se reduce considerablemente. En otros casos, el muchacho puede mostrarse reacio a recibir ayuda externa ante el deseo de no ser diferente de sus compañeros. La escolaridad puede complicarse, pues se enfrentan a programas de estudio difíciles y que exigen mucha dedicación. En términos adultos equivaldría a tener que ir al trabajo cada día para desarrollar una tarea que nos sentimos incapaces de realizar con eficacia y estar rodeados de otras personas que pueden constatar nuestra incompetencia. No es difícil comprender que algunos de estos niños expresen sus sentimientos mediante conductas hostiles y agresivas, mientras que otros se retraen y deprimen.

Si tu hijo tiene dificultades en el aprendizaje y adviertes un cambio persistente en su comportamiento, considera la posibilidad de que haya desarrollado una depresión y apóyalo en lo necesario. Toma conciencia de lo difícil que puede ser para él adaptarse al ritmo escolar y procura ofrecerle el mejor tipo de ayuda educativa para que supere sus dificultades. También es útil buscar otras actividades e intereses extraescolares que puedan estimularlo y potenciar su autoestima.

Trastorno por déficit de atención con hiperactividad (TDAH)

El TDAH se evidencia en los primeros años del niño, ya sea entre los 2 y 4 años o al comienzo del ciclo escolar. Los rasgos que lo definen son hiperactividad, corto período de atención y conducta impulsiva. La condición varía desde casos leves, poco significativos, hasta situaciones tan graves que interfieren en la vida del pequeño y la vida familiar. El TDAH se asocia con frecuencia a dificultades en el aprendizaje, el comportamiento y la capacidad de relación con los demás niños. Es más común en los niños que en las niñas, y a menudo suele mediar un historial familiar de problemas similares. Un diagnóstico y un tratamiento precoces pueden marcar la diferencia. Existen diferentes tratamientos que han demostrado su eficacia, entre los cuales destacan los siguientes:

- Ayudar a los padres a comprender el trastorno y cómo influye en su hijo.
- Ayudar a los padres a interactuar con la conducta del niño con el fin de reducir los problemas de comportamiento.
- Formación en técnicas de relación social, en particular para los niños mayorcitos, para ayudarlos a superar las dificultades en su vida cotidiana en las que el TDAH podría influir.
- Medicación, como por ejemplo metilfenidato para aliviar los síntomas del TDAH.

Algunos niños con TDAH desarrollan una depresión en la adolescencia. Suelen haber tenido una dilatada experiencia en fracasos, a menudo excluidos por los demás niños del grupo social, escasa autoestima y conflictos con el mundo que los rodea (padres, profesores, vecinos, etc.). La depresión propiamente dicha se puede manifestar a modo de empeoramiento de los trastornos de comportamiento o de la agresividad, aunque es posible que no se identifique inmediatamente con una depresión. Si tu hijo con TDAH muestra estas alteraciones, podría estar sufriendo un trastorno depresivo. Consúltalo con el psiquiatra; los tratamientos para una depresión coexistente con el TDAH han demostrado su eficacia.

Historia de Don

A Don, de 15 años, le diagnosticaron TDAH a los ocho. Tenía problemas en la escuela, interrumpiendo constantemente las clases con una charla continua y una incapacidad manifiesta para permanecer sentado en su pupitre durante más de unos pocos minutos. Había quedado rezagado en relación con sus compañeros, pues casi nunca terminaba los trabajos, olvidaba tomar nota de las tareas escolares para hacer en casa o perdía los libros. Los demás niños lo consideraban una fuente de diversión en clase, ya que siempre tenía problemas, repetía las mismas cosas cada día y parecían no importarle lo más mínimo los castigos que le imponían sus profesores. En casa, la situación era muy similar. Conseguir que se levantara de la cama por la mañana y que fuera a la escuela requería paciencia de santo; nunca encontraba la mochila, los libros o las libretas y siempre llegaba tarde. Su madre temía su vuelta a casa, pues estaba malhumorado y sabía que la lucha relacionada con las tareas escolares, como cada día, estaba a punto de estallar.

Comprender que Don tenía TDAH fue de gran ayuda para sus padres. Ahora sus dificultades tenían un claro significado para ellos. Asistieron a un curso para padres con hijos con TDAH, donde aprendieron la importancia de establecer una rutina predecible, preparar las cosas con antelación, desglosar las tareas en otras más pequeñas y evitar las interminables discusiones. También aprendieron técnicas de conducta muy útiles, tales como concentrarse en el comportamiento positivo de Don y establecer algunas normas con consecuencias igualmente predecibles que se aplicaban en caso de infracción. Don empezó su tratamiento con una medicación especial para el TDAH, y sus padres y profesores no tardaron en observar una acusada mejoría en su conducta y su capacidad de aprendizaje en la escuela.

El equilibrio se mantuvo durante el ciclo de primaria, hasta que llegó el momento de pasar a secundaria. Tenía 13 años. Por aquel entonces, Don se había acostumbrado a la medicación ya había empezado a «olvidarse» de ella. Poco después se negó a tomarla, asegurando que ya no la necesitaba. Su comportamiento hiperactivo había mejorado, pero sus dificultades de concentración en clase persistían. Algunos de los profesores de Don aceptaron el diagnóstico de TDAH y le prestaban una dedicación especial, mientras que otros lo consideraban un inmaduro y perezoso; los conflictos con ellos eran constantes. Don empezó a faltar a clase, pero la escuela lo detectó de inmediato y así se lo hizo saber a sus padres. Siguió igual, provocando graves conflictos con ellos. Cada vez se mostraba más retraído en casa, pasando la mayor parte del tiempo encerrado en su cuarto. En sus esporádicas salidas, empezó a consumir cannabis, al principio los fines de semana, pero más tarde durante toda la semana. Lo relajaba y lo hacía sentir mejor. Sin embargo, aun consciente de estar consumiendo demasiado, era incapaz de dejarlo. Cuando volvía a casa de madrugada, las discusiones eran inevitables; sus padres advertían enseguida a partir de su aspecto y comportamiento que estaba tomando algo.

Las cosas fueron de mal en peor hasta que una noche Don golpeó a su padre durante una acalorada discusión tras haber llegado a casa a las 2.30 de la madrugada despeinado y con los ojos vidriosos. Al día siguiente, serenados los ánimos, los tres decidieron que aquello no podía continuar. Don aceptó visitar de nuevo al psiquiatra que lo había tratado de TDAH tiempo atrás. Le contó que en el transcurso de los dos últimos años «su mundo se había derrumbado a su alrededor». Se sentía impotente e incapaz, y había considerado seriamente el suicidio como alternativa, pero según dijo se había contenido por el bien de sus padres.

El camino de Don hacia la recuperación fue lento, pero poco a poco fue capaz de reorganizar su vida. Dejó de asistir a la escuela durante un mes, pero se entrevistó varias veces con su tutor de curso para preparar sus tareas escolares y concretar el día de su reincorporación. Asimismo, visitaba al psiquiatra con regularidad, hablando del consumo de cannabis y de posibles formas de reducirlo. Consideraron la posibilidad de tomar una medicación antidepresiva, pero el doctor no la prescribió hasta que Don se comprometió firmemente a dejar el cannabis. Los padres de Don también se implicaron en aquella decisión, asistiendo juntos a terapia familiar, donde aprendían a mejorar su mutua comunicación.

Don tiene ahora 16 años y sigue experimentando altibajos en su vida, pero está progresando. Asiste a un curso alternativo para chicos con dificultades escolares y le entusiasman algunas disciplinas, tales como informática, economía familiar y carpintería, aunque sigue teniendo problemas con la lengua inglesa y las matemáticas. Ya no se siente deprimido y no ha vuelto a probar el cannabis. En la actualidad está planificando iniciar el aprendizaje en dibujo y decoración.

Ocasionalmente, la posibilidad de que nuestro hijo pueda sufrir TDAH nos asalta cuando muestra síntomas tales como inquietud, impulsividad, escasa concentración o problemas de comportamiento en la adolescencia. No obstante, el TDAH no tiene su origen en la adolescencia, de manera que su manifestación en este período de desarrollo debería analizarse a partir de otros factores desencadenantes, como el consumo de drogas o el desarrollo de trastornos depresivos o de ansiedad.

Hay muchos libros para padres de hijos con TDAH, entre los que destaca una obra excepcional: *Niños hiperactivos: cómo comprender y atender sus necesidades especiales*, de Russell Barkley (Paidós Ibérica, Barcelona, 2002), aunque las alternativas a este respecto son innumerables.

Problemas de conducta

Los niños con un largo historial de trastornos del comportamiento son más propensos que los demás a desarrollar una depresión en la adolescencia, que a menudo se conoce como Trastorno con Conducta Oposicional y Desafiante, una condición que abarca una serie de conductas entre las que se incluyen un comportamiento persistente de hostilidad, negatividad y rebeldía, irritabilidad extrema y resentimiento, estallidos de temperamento, escasa tolerancia a la frustración y desobediencia, que suelen darse juntas y aparecen entre la infancia y la preadolescencia. Son niños que dan la impresión de andar «a tortazos» con el mundo. Trastorno del comportamiento es el término que se utiliza para definir un grado más severo de dificultades conductuales, cuando el chico infringe los derechos de sus semejantes y las reglas de la sociedad, implicándose en actividades tales como el robo, el bullying, la crueldad hacia las personas o los animales y la destrucción.

Aunque como ya se ha dicho los problemas de conducta suelen manifestarse entre la infancia y la preadolescencia, también se pueden evidenciar por primera vez en la adolescencia. Las perspectivas para un joven sin tratamiento corren un riesgo más elevado de desarrollar problemas sociales y de salud mental. De ahí la importancia de proporcionarles toda la ayuda necesaria. Los padres pueden desempeñar una función decisiva, orientándolo hacia el aprendizaje de la responsabilidad, programas educativos apropiados a sus necesidades y formación en técnicas sociales que potencien sus puntos fuertes. Dado el estrés derivado de tener que afrontar problemas de comportamiento, los padres también necesitan apoyo. Asimismo, algunos jóvenes con problemas de conducta padecen un trastorno depresivo subyacente que complica aún más si cabe aquellas dificultades, una posibilidad que conviene tomar siempre en consideración. En realidad, es más fácil de decir que de hacer, ya que muchos de estos chicos son rebeldes y agresivos, tienen una capacidad reducida para expresar con palabras sus sentimientos y se sienten invariablemente amenazados por adultos que intentan descubrir lo que se esconde en su mente. Sin embargo, y en lo posible, es importante abordar sus necesidades emocionales de esta forma. Puede suponer un alivio considerable, liberándolos en gran medida de la espiral de problemas en la que se hallan inmersos. El objetivo a largo plazo es ayudarlos a expresar sus sentimientos y a asumir la responsabilidad de su conducta.

Síndrome de Asperger

El síndrome de Asperger es un trastorno del desarrollo que la mayoría de la gente confunde con una forma leve de autismo. Los niños que lo padecen suelen ser inteligentes, pero tienen una combinación de déficits en sus habilidades sociales, un estilo de conversación muy particular e intereses específicos muy arraigados que los hace muy diferentes de sus iguales.

Muestran grandes dificultades en la apreciación o comprensión de los sentimientos de los demás o de cómo influye en ellos su comportamiento. La comprensión del lenguaje es muy concreta y son incapaces de distinguir las actitudes sutiles o irónicas. Su uso del lenguaje suele ser bastante distintivo, enzarzándose en largas conversaciones a modo de monólogo sin advertir sus efectos en su interlocutor. Su lenguaje es a menudo complicado y formal, usando palabras largas; más «adulto» de lo que cabría esperar en un niño de su edad. En ocasión dan una entonación especial en su discurso, llano y monótono o a veces con un acento que no se ajusta a los cánones de su trasfondo cultural o social. Como ya hemos mencionado, una de las características de los niños con síndrome de Asperger es la tendencia a tener varios intereses o aficiones especiales, a los que se dedican en cuerpo y alma, llegando a ser verdaderos expertos.

El síndrome de Asperger puede oscilar desde un grado muy leve, cuando pasa prácticamente inadvertido y se considera al niño simplemente un poco «raro», hasta muy grave, cuando las dificultades lo diferencian sobremanera de los demás niños. Quien más quien menos conoce un adulto con un síndrome de Asperger no diagnosticado, ya que a decir verdad, el diagnóstico de este cuadro clínico sólo se ha podido realizar con una cierta regularidad en los últimos años, a pesar de tratarse de una condición descrita hace más de cincuenta años.

Los niños que padecen este síndrome y crecen bajo la tutela de unos padres y profesores bien informados y cariñosos suelen superar la educación primaria sin mayores problemas. A algunos de ellos no parece preocuparles la falta de amigos y disfrutan de su relación con la familia y otros adultos intrigados por sus formas de conducta inusuales, mientras que otros son perfectamente conscientes de su incapacidad para entablar relaciones de amistad y de sus dificultades para congeniar con otros niños, deseando fervientemente que las cosas fueran diferentes. La adolescencia puede ser un período muy solitario en la vida de estos chicos, precisamente cuando la necesidad de sentirse iguales a sus iguales alcanza su máximo apogeo. Muchos de ellos desean ser aceptados por sus compañeros pero carecen de las habilidades sociales indispensables para conseguirlo.

La depresión en los jóvenes con síndrome de Asperger puede ser fácil de reconocer, con alteraciones en el estado de ánimo, las pautas de sueño y el apetito, aunque en ocasiones su diagnóstico se complica. En efecto, la depresión puede manifestarse en forma de una mayor hostilidad o por un creciente comportamiento retraído. Puede ser muy difícil para quienes padecen este síndrome expresar sus sentimientos con palabras, mostrándose extremadamente reacios a aceptar la idea de estar sufriendo una depresión. La ayuda de un experto profesional de la salud mental es sin duda alguna muy útil tanto en el diagnóstico de la depresión en adolescentes con síndrome de Asperger como en la planificación de un tratamiento eficaz. La medicación antidepresiva suele dar buenos resultados, aunque conviene profundizar en las causas subyacentes, que en la mayoría de ellos se manifiesta en una consciencia de sus diferencias en relación con otras personas. Las opiniones acerca de si es o no aconsejable informarlos del diagnóstico son diversas, así como del momento más apropiado para hacerlo. Si el chico se pregunta por qué es diferente y le preocupa, tal vez sea una buena idea comentárselo de una forma lo más sensible posible. Actualmente hay muchos libros y páginas web que tratan el síndrome de Asperger y permiten comunicarse con un colectivo de otros chicos con dificultades similares.

Historia de John

John, de 9 años, fue orientado por la escuela al servicio de salud mental de niños y adolescentes pues mostraba serias dificultades para relacionarse con los demás niños. Sus principales intereses en la vida eran la vida salvaje y los dinosaurios, y hablaba de ellos incesantemente. Sus compañeros de clase lo evitaban y era incapaz de comprenderlo. Empezó a tener dolores de estómago y a «sentirse enfermo» por la mañana en los días de escuela, y a sus padres les costaba muchísimo conseguir que se levantara de la cama y asistiera a clase. Los padres de John lo apoyaban incondicionalmente y eran conscientes de lo inusual de sus aficiones, la necesidad de rutina y predecibilidad en su vida, y sus dificultades en la interacción social. A John le diagnosticaron síndrome de Asperger y sus padres decidieron recabar la máxima información acerca de aquella condición. Se integraron en un grupo para padres con niños con síndrome de Asperger y los psicólogos les enseñaron a trabajar con él en casa, contándole cuentos e historias que lo ayudaran a aprender cómo debía desenvolverse en las situaciones más habituales de relación social. En la escuela comprendieron perfectamente el problema y diseñaron un plan especial de apoyo a John, desde un profesor que pasaba con él algunas horas cada día, unas veces a solas y otras en grupos reducidos, que lo ayudaba en las asignaturas en las que tenía más problemas y el desarrollo de sus habilidades sociales.

En su segundo curso de secundaria, John, que por aquel entonces tenía 14 años, visitó de nuevo al psiquiatra. El paso de primaria a secundaria le había resultado muy difícil, volvía a tener dolores de estómago y náuseas las mañanas de escuela, y conseguir que se levantara de la cama se estaba convirtiendo en una lucha sin cuartel. Odiaba la escuela y no quería ir. Según sus tutores, John no se relacionaba con sus compañeros, no prestaba atención en clase y pasaba el tiempo de recreo solo, leyendo o paseando por el patio. En casa estaba cada vez más irritable, en ocasiones con explosiones de ira que acababan invariablemente en lágrimas. Pasaba la mayor parte del tiempo en su habitación y había olvidado los hábitos de higiene. La relación con sus padres, antes cálida e íntima, se había resentido. Sabían que lo estaba pasando muy mal y se sentían impotentes.

Los padres y el personal del programa de día le dieron muchas vueltas a la conveniencia o no de hablarle del diagnóstico de síndrome de Asperger. Por un lado, coincidían en que tenía derecho a saberlo y que tal vez lo ayudaría a comprender mejor sus dificultades y a abrir un canal de comunicación con otros chicos que padecían el mismo trastorno.

Por otro, eran conscientes de que el principal temor de su hijo era que «algo no funciona en mí», y les preocupaba que tomar conciencia del diagnóstico no hiciera sino confirmar sus sospechas.

Después de mucho pensar, decidieron que lo mejor era decírselo. Sus padres se encargarían de hacerlo. Le comentaron que habían recabado toda la información posible para saber de qué manera podían ayudarlo a superar aquella desagradable situación y que habían encontrado un libro sobre el síndrome de Asperger que quizá podría interesarle (la oferta en el mercado sobre este trastorno en edades infantiles es muy amplia). John lo leyó, pero apenas hizo comentarios, y cuando sus padres le preguntaban qué le parecía, respondía que era «un poco extraño» y se negaba en redondo a discutir el tema.

Ahora tiene 16 años y asiste a una escuela alternativa, donde estudia siete asignaturas. En el centro son conscientes de sus dificultades y no lo presionan para que se relacione con los demás si no lo desea. Prefiere seguir estando solo, pero ya no está deprimido, irritable ni preocupado. Sus padres están convencidos de que a medida que vaya creciendo encontrará su «sitio» en el mundo y esperan que tenga la suerte de conocer a personas de buen corazón que lo ayuden a comprenderse un poquito mejor.

Conclusiones

Muchos niños con depresión también presentan otros problemas importantes: dificultades en el aprendizaje, TDAH, problemas de conducta y síndrome de Asperger. Estas dificultades pueden empeorar el cuadro depresivo, especialmente al comienzo de la adolescencia. Tratar la depresión en chicos con esta problemática puede ser todo un desafío, pero es esencial que los padres no se den por vencidos y se esfuercen en ayudarlos. Muchas de las ideas en este libro serán útiles para los padres de este tipo de niños, pero dado que los cambios pueden ser extremadamente lentos, la paciencia es el mejor aliado.

Capítulo 4

Otras causas

Los padres de hijos que han desarrollado un trastorno depresivo se preguntan con frecuencia si no podría ser el comienzo de una enfermedad mental grave. En ocasiones, «deprimido» es un término demasiado suave para describir los cambios que observan en el chico. Se pueden asociar distintas condiciones clínicas a la depresión, mientras que algunos chicos presentan síntomas difíciles de diferenciar de aquel trastorno. No es pues de extrañar que, en este sentido, los padres se sientan extremadamente confusos.

Entre las condiciones que preocupan a los padres cabe señalar las siguientes:

- Efectos del alcohol.
- Efectos de las drogas.
- Enfermedad física grave.
- Abusos sexuales.
- Esquizofrenia.
- Trastornos de la alimentación.
- Trastorno bipolar (trastorno maníaco-depresivo).

¿ALCOHOL?

La relación entre la depresión y el alcohol es compleja. No hay duda de que el consumo excesivo de alcohol puede provocar fatiga, pérdida de energía y estados depresivos. En nuestra cultura, la gente suele beber considerables cantidades de alcohol los fines de semana, absteniéndose o consumiendo menos los demás días. Esto puede ocasionar altibajos en el estado de ánimo con irritabilidad y depresión de lunes a viernes, con «estados eufóricos» inducidos por el alcohol los sábados y domingos. Inicialmente, esta pauta de consumo etílico, que a menudo se inicia en las etapas intermedias de la adolescencia, puede presentarse sólo ocasionalmente, hasta convertirse, con el tiempo, en un verdadero estilo de vida, cuando el chico se acostumbra a recurrir al alcohol para sobrellevar mejor las adversidades de la vida diaria. Suelen mostrarse a la defensiva cuando se les pregunta y negar que sea una fuente de problemas. Aun así, tú, como padre, sabrás mejor que nadie las dificultades que ocasiona en el entorno familiar. Tu hijo te asegurará que su abstinencia durante la semana demuestra su capacidad de controlar la ingesta de alcohol.

Algunos jóvenes de estas edades que sufren una depresión consumen alcohol a modo de «automedicación», pues los ayuda a relajarse, potencia la seguridad en sí mismos y los hacen sentirse uno más del grupo. El alcohol en pequeñas cantidades puede tener efectos positivos, pero lo cierto es que estos chicos casi nunca limitan el consumo a estas dosis reducidas, sino que lo que empieza como un «impulso útil» se puede convertir con el tiempo en un factor causante de nuevos problemas y que empeore el estado depresivo.

Si tu hijo consume alcohol de la forma que acabamos de describir, hay un problema. Deberías hablar con él acerca de tus preocupaciones y preguntarle si podrías ayudarlo de alguna manera para reducir o eliminar la ingesta. Aunque en muchísimos casos este proceder puede resultar ineficaz, por lo menos el muchacho tomará conciencia de tu preocupación. Cabe asimismo la posibilidad de que, sin darte cuenta, estés facilitando el consumo de alcohol de tu hijo al darle dinero, notas escritas justificativas de ausencias en la escuela o llamadas telefónicas al trabajo con el mismo fin. Es muy comprensible que quieras protegerlo, pero a largo plazo da pésimos resultados. Llegará un día en que tengas que afrontar seriamente el tema del consumo de alcohol y convencer a tu hijo de la necesidad de buscar ayuda. Es una buena idea que primero te informes acerca de los servicios disponibles y que contactes con el personal a su cargo para decidir cuál sería la forma más adecuada de plantear la cuestión a tu hijo. Consúltalo con el médico de familia o con el departamento local de servicios sociales; te aconsejarán.

También es importante considerar el tipo de mensaje que está recibiendo el chico a partir de las actitudes de otros miembros de la familia en relación con el alcohol y su consumo. A menudo existe un historial familiar de alcoholismo en la juventud, debido algunas veces a factores genéticos, aunque es asimismo probable que el muchacho aprenda de lo que ve. Si crece en un entorno en el que el uso excesivo de alcohol se considera una forma habitual de celebración, evasión o ayuda para la superación de situaciones difíciles en la vida diaria, no será de extrañar que siga el mismo camino.

¿Drogas?

En la actualidad, el consumo de drogas está muy extendido en nuestra sociedad y entre todos los grupos sociales. Numerosas encuestas han concluido que la mayoría de los adolescentes han tenido experiencias con drogas «blandas» tales como el cannabis, que según dicen los ayuda a relajarse, carecen de los desagradables efectos secundarios de náuseas y agresividad propios del alcohol y que consideran seguras.

Es probable que el consumo ocasional de cannabis por un chico sano tenga escasos efectos perniciosos. Los problemas surgen cuando lo consume un joven con depresión como una forma de tratamiento del trastorno que sufre. Sólo se siente «bien» cuando está bajo sus efectos. Muchos chicos depresivos comentan hasta qué punto es fácil habituarse a la sensación de relajación que produce este narcótico y lo difícil que resulta superarlo. El consumo regular excesivo de cannabis empeora la depresión y puede provocar una pérdida de motivación o estímulo en la vida, un cuadro clínico muy similar al trastorno depresivo propiamente dicho. En ocasiones es imposible saber qué fue primero, el huevo o la gallina: ¿el cannabis produce depresión o la depresión conduce a un consumo excesivo de cannabis?

Si tu hijo está gastando mucho dinero, está fuera de casa hasta altas horas de la madrugada o pasa la noche fuera y regresa en un estado que podríamos definir como de «alteración de la mente», tienes una buena razón para estar preocupado ante un posible consumo de drogas. Busca el momento más apropiado y habla con él sin coaccionarlo bajo ningún concepto. Enojarte, reprenderlo severamente o culparlo por lo que está haciendo será contraproducente aun a pesar de que tus temores son muy comprensibles. Dependiendo del área de residencia, acude a tu médico de familia o al departamento local de servicios sociales para que te informen acerca de los servicios de asistencia disponibles y de cómo concertar una cita.

Enfermedades graves

A menudo, los chicos con depresión grave aparentan estar enfermos y pueden quejarse de múltiples síntomas físicos tales como dolores de cabeza, falta de apetito y cansancio. No es pues de extrañar que los padres se pregunten si su hijo podría haber desarrollado una enfermedad aún por diagnosticar. Y muchas veces, el propio muchacho piensa, y teme, lo mismo.

La depresión en los niños y adolescentes puede estar asociada a patologías físicas; no es frecuente, pero puede darse el caso. En ocasiones la depresión aparece después de una enfermedad viral, un brote severo de gripe o fiebre glandular. Este tipo de depresión «post-viral» puede durar semanas o meses. Algunos cuadros clínicos mucho más inusuales, como el hipotiroidismo o trastornos en las glándulas adrenales, pueden provocar alteraciones en el estado de ánimo y trastornos depresivos, y muy ocasionalmente tumores cerebrales. El psiquiatra que atienda a tu hijo tomará en consideración todas estas posibilidades antes de emitir un diagnóstico. La depresión en los jóvenes casi nunca se debe a un trastorno físico no diagnosticado, pero si estás preocupado, háblalo con el psiquiatra.

Abusos sexuales

Cuando un niño o adolescente con una vida normal y satisfactoria en todos sus aspectos se vuelve introvertido, irritable, se disgusta con facilidad y apenas habla, algunos padres se preguntan si le habrá ocurrido algo desagradable o si ha sido objeto de abusos sexuales. Hoy en día, a diferencia de lo que sucedía décadas atrás, este tema ha dejado de ser un tabú y se puede hablar abiertamente del mismo, pero sigue siendo muy común que los niños que han sido víctimas de un abuso sexual lo guarden en secreto hasta la edad adulta. Las razones de su silencio son múltiples: la amenaza de quien ha abusado de ellos, no ponerlo en un serio compromiso (si se trata por ejemplo de un pariente), sentimiento de culpa por haber hecho algo malo o la posible reacción adversa de sus padres.

Si tienes alguna duda al respecto pero te preocupa hablarlo con tu hijo, puede ser una buena idea comentarlo con un amigo íntimo o profesional. Pide consejo a tu médico de familia, te informará de cuál es el profesional más apropiado para que lo atienda o te remitirá al departamento local de servicios sociales.

Esquizofrenia

La esquizofrenia es una enfermedad mental grave que a menudo se desarrolla a finales de la adolescencia. Afecta a una persona de cada cien, y es posible que en la familia exista un historial de esquizofrenia. Provoca importantes cambios en el funcionamiento del muchacho, en su capacidad de raciocinio, emociones, el modo de experimentar el mundo y la capacidad de relacionarse con sus semejantes. Se puede presentar de varias formas. Algunos chicos con esquizofrenia se encierran progresivamente en sí mismos, se vuelven «raros» a medida que pasan los meses o los años, mientras que en otros los síntomas son más agudos: ideas delirantes (desarrollo de falsas y firmes creencias de que no son aceptados por los demás miembros de la comunidad, etc.) o alucinaciones (experimentan una sensación en ausencia de fuentes que la propicien, etc.).

Las ideas delirantes suelen ser de tipo «paranoide», están convencidos de que alguien los persigue por la calle con intenciones perversas. Pueden estar muy asustados, vivir en un permanente estado de terror.

Con frecuencia, las alucinaciones implican oír «voces» que hablan de él o que hacen comentarios acerca de su comportamiento, invariablemente despectivos y desagradables.

En la actualidad hay nuevos tratamientos para la esquizofrenia: medicación, diferentes tipos de terapia y programas de rehabilitación. Las investigaciones han demostrado sin lugar a dudas que la respuesta del enfermo es mucho más positiva con un tratamiento precoz.

Los jóvenes esquizofrénicos suelen desarrollar depresiones, y resulta muy difícil en la mayor parte de los casos determinar si los síntomas que presentan se deben principalmente a un trastorno depresivo grave o a una esquizofrenia propiamente dicha. En ocasiones es el paso del tiempo y la respuesta al tratamiento lo que permite distinguirlo, incluso para un psiquiatra experimentado.

Si observas algunos síntomas en tu hijo que te preocupan y sospechas que podría tratarse de un cuadro esquizofrénico, consúltalo con el psiquiatra. Despejará tus dudas.

Trastornos en la alimentación

Los trastornos en la alimentación, tales como la anorexia y la bulimia, no son infrecuentes en nuestro entorno cotidiano y a veces puede ser difícil diferenciarlos de una depresión «ordinaria», ya que los jóvenes que han desarrollado estos trastornos también suelen tener una depresión. La anorexia empieza casi siempre a principios-mediados de la adolescencia y afecta principalmente a las chicas, aunque también pueden sufrirla los chicos. Se caracteriza por un miedo intenso a la obesidad y una búsqueda incesante de la delgadez. El joven reduce la ingesta de alimentos hasta conseguir una pérdida de peso extrema que puede alcanzar niveles peligrosos. Los consume el deseo de estar delgados y esta preocupación los absorbe a todas horas. Su capacidad de percepción y pensamiento suele distorsionarse, se ven «gordos», mientras los demás contemplan una figura esquelética.

La depresión es muy habitual en la anorexia, y los padres de chicas con trastornos depresivos a menudo se preocupan por la posibilidad de que se trate de anorexia. La pérdida de peso que a veces se produce en los trastornos depresivos «ordinarios» se debe a la falta de apetito, no a la restricción consciente de ingesta de alimentos, y en general no suele agradar demasiado al paciente, que se siente mal y falto de energía.

Si tu hijo está perdiendo peso sin razones aparentes, es lógico que estés preocupado. Llévalo al médico para que le haga una revisión y te aconseje en lo necesario.

La bulimia es bastante común y dado que no se manifiesta a través de una pérdida extrema de peso como la anorexia, puede ser un problema oculto. La bulimia se caracteriza por episodios de «voracidad» en los que el chico ingiere grandes cantidades de alimentos y luego toma medidas para evitar ganar peso provocándose el vómito, usando laxantes o realizando un ejercicio físico excesivo. Estos ciclos de comportamiento pueden aparecer de modo infrecuente o varias veces al día en los casos graves. Los jóvenes con bulimia se sienten muy desdichados y culpables por su conducta. La depresión es muy común.

Los trastornos en la alimentación son formas con las que el adolescente sumido en un torbellino emocional intenta afrontar sus problemas concentrándose en la comida, el peso y el aspecto físico. A ojos de los demás puede parecer una persona deliberadamente autodestructiva, mientras que él lo considera su medio de supervivencia. Si te preocupa que tu hijo pueda sufrir un trastorno de este tipo, coméntalo con el médico de familia. Tu hijo se mostrará reacio a recibir ayuda («No pasa nada, estoy bien.»), pero con paciencia y determinación la mayoría de los padres lo consiguen.

Trastorno bipolar (trastorno maníaco-depresivo)

Puede ser una verdadera fuente de preocupación para un padre, sobre todo si existe un historial familiar de trastorno bipolar. Se caracteriza por cambios extremos en el estado de ánimo, períodos de sobreactividad, comunicación verbal excesiva y atropellada y euforia en el estadio «hipomaníaco» y apatía, tristeza, culpabilidad, desesperanza, falta de energía e incluso suicidio en el «bajo» o depresivo. Estos cambios en el estado de ánimo pueden prolongarse durante semanas, meses o años, con largos períodos intermedios de normalidad o estabilidad. En algunos jóvenes que sufren este trastorno, las alteraciones del humor pueden producirse muy deprisa, en cuestión de horas, o experimentar rasgos característicos de estadio «alto» y estadio «bajo». Sus efectos en las relaciones con los demás, en la escuela, el trabajo y la autoconfianza del paciente pueden ser extremadamente negativos. Un diagnóstico y un tratamiento precoces pueden evitar algunos de los problemas secundarios asociados al trastorno.

El trastorno bipolar puede empezar con un episodio depresivo indiferenciable de una depresión «ordinaria», seguido, meses o años más tarde, de una alteración espectacular en el estado de ánimo tendente al estado «alto» o hipomaníaco.

La medicación estabilizadora, como por ejemplo la carbamacepina, el valproato de sodio o el litio, pueden reducir considerablemente los cambios anímicos, y la información acerca del trastorno bipolar puede ayudar a quien lo sufre a afrontar un estilo de vida que le permita reducir los riesgos derivados de los mismos. Es posible que no se pueda diferenciar entre una depresión «ordinaria» y el comienzo de un trastorno bipolar hasta transcurrido un determinado período de tiempo. Acude al psiquiatra si tienes la más mínima sospecha.

Innumerables asociaciones de enfermos bipolares facilitan información muy útil y organizan programas educativos para pacientes y familiares.

Mientras que muchos trastornos depresivos tienen un diagnóstico que no deja lugar a dudas, algunos pacientes presentan una combinación de síntomas de varios de los trastornos que se han descrito en este capítulo. Esto puede constituir una fuente de enorme ansiedad para los padres, que necesitan todo el apoyo psiquiátrico posible.

Capítulo 5

Pedir ayuda

A menudo los padres de hijos con depresión se sienten impotentes y no saben qué actitud deben adoptar para mejorar la situación, una sensación igualmente extensiva a todos los demás miembros de la familia que intentan ayudar a una persona deprimida cualquiera que sea su edad. Es como si de algún modo la depresión fuera «contagiosa», extendiéndose rápidamente hasta engullir a las personas más próximas al paciente. Reconocer que hay un problema es un primer paso esencial, y en este sentido es importante confiar en el instinto, aquella «sensación en el estómago» que presagia una posible anomalía. Si tu hijo presenta los síntomas de depresión descritos en el Capítulo 2 y crees que puede sufrir este trastorno, éste es un paso hacia delante extremadamente positivo.

En cualquier caso, sin embargo, podrías estar inseguro acerca de una hipotética depresión; tal vez se trate de una alteración pasajera en el estado de ánimo propia de la adolescencia o una simple etapa difícil en su vida. Es recomendable hablar con otras personas que conozcan bien a tu hijo para saber qué opinan del comportamiento del chico.

Lo verán desde otra perspectiva y pueden tener información que podría ayudarte a evaluar mejor la situación.

Hablar con otras personas que conocen a tu hijo

Muchas veces los padres se muestran reacios a comentar los problemas de sus hijos con terceras personas. Les parece una «deslealtad» hacia ellos o temen «airear los trapos sucios de la familia» en público. Pero se puede hacer de un modo nada desleal, con frases tales como «Estamos un poco preocupados por Kevin; no parece sentirse a gusto en casa recientemente». Podría haber algún pariente próximo que conozca bien al chico. También es aconsejable hablar con su profesor o el equipo de psicólogos de la escuela. Obtendrás información útil. Cabe la posibilidad de que el comportamiento y estado de ánimo de tu hijo no hayan cambiado en otros entornos (escuela, amigos, etc.). Esto reduce las probabilidades de que se trate de un trastorno depresivo en toda regla, aunque tampoco lo descarta, pues muchos jóvenes depresivos se guardan muy mucho de mostrar sus sentimientos a sus amigos o en la escuela. Si por otro lado el profesor ha observado algún cambio, esto abrirá nuevas posibilidades de discusión: ¿se relaciona bien?, ¿participa en clase?, ¿podría estar sometido a bullying?

El entorno familiar

Es importante saber que no todos los adolescentes depresivos necesitan ayuda especializada. Los padres y familiares pueden hacer mucho para ayudarlos. Merece la pena echar una ojeada al entorno familiar en el que se desenvuelve tu hijo para intentar averiguar qué opina del mismo. Los padres suelen ser plenamente conscientes del impacto que supone para un niño o adolescente una separación o divorcio, pero podrían desconocer cuáles podrían ser los efectos de un conflicto matrimonial continuado o de la bebida. Como padre has aprendido a vivir con este tipo de problemas, pero tu hijo no. Abordarlos puede resultar muy difícil, pero identificarlos y tomar consciencia de que pueden contribuir a la depresión del muchacho puede estimularte en lo necesario para adoptar las medidas oportunas.

¿Es posible que todas las exigencias a las que está sometido un padre moderno hayan ido en detrimento del tiempo y energía necesarios para comunicarte un tu hijo adolescente? Con mucha frecuencia, los adolescentes se sienten extremadamente solos mientras luchan por convertirse en individuos independientes y en parte de un grupo de iguales. A veces, tranquilizarse y buscar más momentos para dedicarles tu atención abre las puertas a la comunicación con un adolescente en problemas.

La ayuda de la familia a un joven con un trastorno depresivo se explica más detenidamente en el Capítulo 7.

BUSCANDO AYUDA: OTRAS ALTERNATIVAS

Muchas veces las medidas descritas anteriormente pueden ser suficientes para ayudar a tu hijo a aliviar su depresión, sobre todo en trastornos depresivos leves y moderados. Si aun así sigue deprimido, es una buena idea informarse de qué servicios asistenciales hay disponibles en tu área de residencia. Pregúntaselo a tu médico de familia; te orientará. En ocasiones, los médicos de familia son capaces de establecer una buena relación con un adolescente con depresión, y son muchos los que reciben asistencia directa de estos profesionales. En cualquier caso, si el doctor no cree ser la persona más adecuada, puede remitirte a un consejero asistencial o a un servicio de salud mental.

Historia de Tom

(viene de la p. 22)

La madre de Tom ha hecho partícipe de sus preocupaciones a su esposo, que está convencido de que su comportamiento se debe a la pereza y que lo que realmente necesita es un equivalente moderno de una «buena patada en el culo». Lo intentó en el pasado, pero sin resultado. Ahora lo está intentando de nuevo, hablando con él y conminándolo a ser más educado con la familia y a levantarse cada día para ir a la escuela. Pero por desgracia no está allí para reforzar sus palabras, pues se marcha al trabajo a las 7 de la mañana y la madre se ve incapaz de imponer sus criterios. La conducta de Tom está empeorando; ya no asiste a la escuela argumentando que está demasiado cansado.

Los padres de Tom siguen discutiendo la situación. No comprenden su causa. Hasta hace dos años atrás, su hijo era muy activo, y de repente todo ha cambiado. Han decidido elegir un momento en que Tom esté sosegado para sugerirle una visita al médico. No se muestra demasiado predispuesto, pero su madre le ha dicho que necesitan descubrir la causa de su constante cansancio y al final ha aceptado a regañadientes.

(continúa en la p. 64)

Psicólogos y psicoterapeutas

Si tu hijo está predispuesto a hablar de sus problemas y desea ayuda externa, la psicología y psicoterapéutica pueden dar buenos resultados. En la mayoría de las grandes ciudades hay servicios especializados en psicología infantil. Asimismo, muchas escuelas disponen de asesores y psicólogos.

Servicios de salud mental para niños y adolescentes

En Irlanda y el Reino Unido, los Child and Adolescent Mental Health Services (CAMHSs, servicios de salud mental para niños y adolescentes) proporcionan asistencia gratuita a jóvenes y sus familias en su área geográfica. Los médicos de familia conocen estos servicios y pueden remitir a ellos si lo consideran oportuno. Los CAMHSs están atendidos por un equipo de profesionales, entre los que se incluyen psiquiatras de niños y de adolescentes, psicólogos, trabajadores sociales y psicoterapeutas. El seguimiento clínico en este tipo de servicios es especialmente útil en casos complejos de depresión, es decir, cuando existen otros problemas emocionales, conductuales o familiares; cuando el riesgo de suicidio es elevado o cuando el trastorno depresivo no ha respondido a las medidas que ya has tomado.

Muchos CAMHSs tienen largas listas de espera, pero operan sobre la base de un sistema de remisiones prioritarias cuando existe un grave riesgo para la salud o la vida del chico. Si a un padre le preocupa que su hijo pueda intentar suicidarse o si su depresión está afectando seriamente a su salud física (no come o bebe lo suficiente, etc.), debe solicitar a su médico una cita urgente.

Hablar con el adolescente acerca de las posibles alternativas

Puede ser difícil. Los jóvenes casi nunca reconocen su estado de depresión y no suelen buscar ayuda. Esto se debe en parte a la forma en la que el trastorno afecta a su capacidad de raciocinio, hasta el punto de que son incapaces de comprender cómo algo podría ayudarlos a sentirse mejor, y en parte a la comprensible renuencia que muestran muchos chicos a hablar de sus miedos y preocupaciones con otras personas.

Da buenos resultados trazar un plan detallado acerca de cuál sería la forma más apropiada de abordar el tema para conseguir que acepte recibir ayuda externa. Si los padres coinciden en la necesidad de buscar ayuda y son capaces de apoyar a su hijo en este proceso, la situación será ideal. Pero a menudo es imposible. Es habitual que los dos miembros de la pareja tengan puntos de vista divergentes acerca de los problemas del muchacho o que no medie entre ellos una buena comunicación.

Hay que buscar un momento de tranquilidad en el hogar para hablar de esta cuestión y recordar que el bien del chico es siempre prioritario. En caso de desacuerdo, lo más probable es que se deba a la divergencia de pareceres. En este sentido el diálogo es fundamental. Escucha los puntos de vista de tu marido, mujer, pareja o ex pareja. Tal vez tenga una idea diferente a la tuya para ayudar a tu hijo pero que valga la pena probar. En casos de extremo desacuerdo, recurrir a la ayuda profesional puede ser incuestionable.

Historia de Tom

(viene de la p. 62)

El médico de familia habla primero con la madre y luego visita a Tom a solas. Le realiza un examen físico y le formula algunas preguntas acerca de cómo le van las cosas con sus amigos, la escuela y el fútbol, al que Tom solía jugar pero ya no. Durante la conversación Tom le cuenta que no le interesa tener amigos, no quiere jugar al fútbol y no asiste a la escuela. Le dice que se siente fatal y que no sabe por qué, y que con frecuencia piensa en el suicidio como una alternativa de solución a sus problemas. No puede quitarse la idea de la cabeza.

El doctor le dice que la exploración física no ha revelado

problemas médicos que pudieran explicar cómo se siente y le sugiere la posibilidad de visitar a alguien capacitado para ayudarlo con los complejos sentimientos que le embargan. No diagnostica la experiencia de Tom como una depresión, pues no está seguro de que lo sea. Sabe que los chicos de su edad a menudo se muestran reacios a aceptar este calificativo. Aunque sin estar muy convencido, Tom acepta la sugerencia del médico.

(continúa en la p. 79)

ESTRECHA LA RELACIÓN CON TU HIJO

Una vez más, busca el momento más adecuado para hablar tranquila y serenamente con tu hijo. No le preguntes cómo se siente; es muy probable que responda «Bien», malhumorado, o que te pregunte, a la defensiva, por qué quieres saberlo. Es preferible no mencionar problemas específicos tales como «Me preocupa que pases tanto tiempo en tu habitación y que parezcas estar disgustado la mayor parte del tiempo». No entres en discusiones de por qué o por qué no hace tal o cual cosa; mantén la calma y dile que en tu opinión todos necesitan ayuda para superar esta situación y que has concertado una cita con (nombre de la persona).

Los niños más pequeños casi siempre aceptarán este enfoque, pero con los adolescentes puede resultar más difícil. Si no pierdes la calma, eres positivo y actúas con determinación, tu hijo acabará aceptando aunque inicialmente haya dicho que no. La mayoría de los adolescentes, a pesar de mostrarse enojados y a la defensiva, en su fuero interno desean que sus padres sean conscientes de su malestar y, aunque a regañadientes, cooperan en la búsqueda de ayuda externa. Lee el apartado «Tu hijo no pedirá ayuda», en el Capítulo 9, si a pesar de tus esfuerzos el chico no acepta tus sugerencias.

Historia de Stephen

Stephen, de 15 años, vive con su madre de lunes a viernes y pasa los fines de semana con su padre y sus dos hermanas pequeñas. Sus padres se separaron hace dos años después de varios años de amargos conflictos matrimoniales. Poco a poco ambos están rehaciendo sus vidas. Hacen todo lo posible para que los niños mantengan una buena relación con cada uno de ellos y creen que las cosas están mejor ahora que en muchos años pasados.

Sin embargo, Stephen no piensa lo mismo. Está disgustado con su padre por haberse marchado de casa y haberlo abandonado. No se ha atrevido a hablar de ello con él y se muestra distante y retraído en su compañía. Muchas veces no quiere ir a su casa los fines de semana; echa de menos a sus amigos y tiene que pasar todo el tiempo con sus hermanitas. En cualquier caso, se siente culpable de no querer estar con su padre.

Stephen está cada vez más irritable y de mal humor. Su relación con su madre se ha deteriorado, pues no colabora en casa y cada solicitud se convierte en una guerra a voz en grito. No está dispuesto a compartir sus sentimientos con sus amigos y pasa la mayor parte del tiempo fuera de casa, solo e intentando pensar. Una noche no vuelve a casa. Su madre está muy preocupada; ése no es el comportamiento habitual de su hijo. Telefonea a su ex marido, que decide salir de inmediato en busca del muchacho. Lo encuentra sentado en el terraplén del canal, cerca de casa. Stephen no le da ninguna explicación; sólo que «estaba pensando». Regresa a casa con su padre sin protestar.

Al día siguiente, los padres de Stephen hablan de la situación. Los dos han observado cambios en su hijo: se muestra apático, está enfadado la mayor parte del tiempo y no quiere hablar con ellos. Habían pensado que estaba disgustado por su separación y que con el tiempo se iba a acostumbrar, pero ahora se han dado cuenta de que, después de dos años, en lugar de mejorar se ha vuelto más introvertido. Encontrarlo en el canal a primeras horas de la madrugada fue un verdadero shock para ellos, y se preguntan qué estaría pasando por su cabeza. Están preocupados por un posible impulso suicida. Han decidido que necesita ayuda profesional, aunque no tienen la menor idea de adónde dirigirse.

La madre de Stephen acude al médico de familia, que conoce a la familia desde hace años y que trató al padre de Stephen de depresión en el pasado. Le sugiere llevarlo al servicio local de salud mental. Los padres de Stephen concluyen que es la mejor solución. La madre se encargará de comentarlo con su hijo.

Tras elegir un momento en el que Stephen está tranquilo, le dice que ella y su padre están preocupados porque se muestra cada vez más retraído y pasa mucho tiempo a solas, «pensando». Le dice que le gustaría saber qué le ocurre pero que no se atreve a preguntárselo directamente. Cuál es su sorpresa cuando Stephen se abre a ella como no lo había hecho desde hacía años y le dice que durante los últimos meses ha estado pensando en quitarse la vida y que no consigue apartar esa idea de su cabeza. Parece aliviado tras haber hablado con su madre, y aunque ella se siente aterrada en su interior, sintiendo una profunda pena por el malestar de su hijo, responde con serenidad y positivamente. Le comenta que se siente muy feliz de que le haya contado cómo se siente y que juntos podrían buscar ayuda. Le sugiere acudir a una clínica local donde tratan a chicos de su edad que se sienten igual que él. Le dice que los dos, ella y su padre, lo acompañarán, o sólo uno si así lo desea. Stephen le dice que prefiere ir con ella la primera vez, y quizá con su padre más adelante. Su madre le comenta que se siente muy orgullosa de él por su coraje al abordar sus problemas de una forma responsable.

Capítulo 6

Tratamiento de la depresión

El tratamiento de los trastornos depresivos en los jóvenes depende de su gravedad. No todos los niños y adolescentes con depresión necesitan «tratamiento»; a muchos les basta hablar con alguien acerca de sus sentimientos para superarlos. Puede ser un padre, aunque los adolescentes a menudo encuentran más fácil hablar con otra persona, tal vez un pariente o un amigo de la familia al que conocen y aprecian. A los adolescentes les resulta especialmente difícil hablar de sus sentimientos, y muchos de ellos reciben ayuda en su depresión a través del interés y apoyo de un padre, familiar o amigo que «los observa» regularmente, evalúa como marchan las cosas, se interesa por sus aficiones y les demuestra que está cuidando de ellos sin invadir su territorio ni forzándolos a hablar.

No existe una cura milagrosa para la depresión en los adolescentes, aunque diferentes enfoques de tratamiento han demostrado su eficacia.

Enfoques

No existe un tratamiento único para los trastornos depresivos. En la mayoría de los casos se usa una combinación de diferentes enfoques, que suele incluir ayuda para el chico y su familia para que sean capaces de luchar junto a él contra la depresión.

Ayuda terapéutica

Suele consistir en alguna forma de psicoterapia, ya sea mediante el trabajo individualizado o en grupo. Existen muchas formas de psicoterapia, y las investigaciones han demostrado que la relación que el paciente establece con el profesional («relación terapéutica») es más importante en la predicción de un resultado satisfactorio que el tipo de psicoterapia utilizado. Todas las formas de psicoterapia implican reuniones regulares y frecuentes entre el chico y el terapeuta; un tiempo especial que comparten juntos en la intimidad.

A menudo la gente asocia la psicoterapia a tumbarse en un diván con un psicólogo que permanece en silencio y que analiza cuanto dice el paciente o extrae conclusiones de lo que calla. Esto dista mucho de la realidad de la psicoterapia tal como se aplica en occidente. La psicoterapia infantil y adolescente en nuestra cultura es eminentemente práctica, trata problemas reales de la vida y exige que ambos, paciente y terapeuta, se sienten, hablen y trabajen juntos de una forma activa para comprender mejor los conflictos y buscar maneras de enfrentarse a ellos.

Todas las formas de la psicoterapia implican una relación confidencial entre el chico y el terapeuta, aunque tendrás que estar en contacto regularmente con el profesional para discutir los progresos de tu hijo, lo cual, asimismo, te ofrece la oportunidad, como padre, de descubrir si el terapeuta cree que existen aspectos importantes en el entorno familiar o en tu relación con el muchacho que convendría examinar más a fondo. El terapeuta de tu hijo ya os habrá explicado, a ti y a tu hijo, al comienzo de la terapia que no mantendrá en secreto incidencia alguna que suponga un riesgo grave para su vida. Como padre, debes saber si este tipo de riesgos son reales, y el mero hecho de que la relación entre tu hijo y el profesional sea estrictamente confidencial no deberá impedir tu conocimiento cuando la ocasión así lo requiera.

Los investigadores han observado que una forma de psicoterapia llamada «terapia cognitiva del comportamiento», o TCC, constituye un tratamiento eficaz de los trastornos depresivos en la infancia y adolescencia. Consiste en reuniones regulares (semanales o quincenales) entre los jóvenes y su terapeuta, casi siempre durante un período de entre doce y veinte semanas, seguidas en ocasiones de «sesiones de estímulo» a intervalos de tres meses y durante un lapso de tiempo de entre seis meses y un año. En la TCC el profesional ayuda a la persona con depresión a comprender sus efectos en la forma de pensar y comportarse de cuantos lo rodean, que pueden de por sí empeorar el cuadro clínico, sugiriendo nuevos enfoques a situaciones difíciles. Es un tipo de terapia de la que se benefician muchos jóvenes, pues es muy práctica, no intimidatoria y aborda las cuestiones por áreas problemáticas identificadas.

Historia de Sue

Sue, de 15 años, visitó a un psicoterapeuta durante seis semanas a causa de su apatía y estado depresivo. Al principio le costó mostrarse abierta y comunicativa, pero luego empezó a confiar en él y todo se hizo más fácil. Lo que más la ayudó fue el hecho de seguir una terapia no tenía nada que ver con estar «loca» o tener una «enfermedad mental», y que no debía culpabilizarse de su estado.

El terapeuta ayudó a Sue a darse cuenta del ciclo vicioso de la depresión en la que había caído: se sentía apática y no salía de casa ni asistía a la escuela; no ir le hacía sentirse mal consigo misma; estos pensamientos negativos le hacían sentir más deprimida y menos capaz de salir de casa. El terapeuta empezó a ayudarla a romper este ciclo negativo de ideas y actos, animándola a concentrarse en formas más positivas de ver las cosas. Le enseñó a marcarse objetivos, tales como «dar un paseo» o quedar con un amigo, felicitándola cuando lo hacía. Asimismo, le explicó lo que debía hacer para evitar que una adversidad empeorara su trastorno depresivo. Debía aprender a perdonarse y decir: «Bueno, hoy no he salido, pero mañana lo intentaré». Los seis meses de terapia propiciaron cambios muy positivos en Sue.

(continúa en la p. 74)

APOYO PATERNO

Convivir con un miembro de la familia con depresión es difícil, y con frecuencia las relaciones están sometidas a tensiones extremas cuando por fin deciden buscar ayuda. Los padres pueden tener la sensación de haber sido ellos los causantes del trastorno depresivo de su hijo, aunque en general no suele ser así. Las causas de la depresión en los niños y adolescentes son complejas y casi nunca se concretan en una sola causa. No obstante, los padres son de vital importancia a la hora de ayudar a sus hijos con depresión y también a los demás niños de la familia, que muchas veces se sienten disgustados y resentidos ante lo que consideran un «tratamiento especial» hacia el chico deprimido.

Conscientes de la importancia de los padres para superar la depresión de sus hijos, muchos servicios profesionales les ofrecen apoyo en forma de reuniones individuales, donde los ayudan a comprender la naturaleza del trastorno que afecta al chico, saber lo que pueden hacer para ayudarlo y qué tipo de ayuda deben recibir ellos mismos personalmente para enfrentarse a una situación difícil. A veces, este apoyo se ofrece a través de un grupo de padres; a muchos de ellos les parece muy útil hablar con otros padres en situaciones similares. Saben que no están solos y tienen la oportunidad de intercambiar opiniones y aprender nuevos métodos de actuación.

Terapia familiar

Una terapia familiar consiste en una reunión de un terapeuta con los padres y su hijo con depresión. Dependiendo de las necesidades de la familia, estos encuentros pueden incluir a otros familiares, tales como hermanos y hermanas e incluso abuelos.

La terapia familiar mejora las relaciones interpersonales y la comunicación en la familia globalmente considerada. Su finalidad es ayudarlos a comunicarse mejor entre sí y comprender también mejor las experiencias y los sentimientos mutuos. En realidad, el término «terapia familiar» puede asustar, y puede ser difícil persuadir a un adolescente u otros miembros de la familia de que asistan a las sesiones, pues a menudo temen convertirse en el centro de atención, a que les echen la culpa o se vean obligados a hablar cuando no quieren hacerlo. Si consigues persuadir a tu hijo para que acepte acudir a una primera reunión, lo más probable es que se sienta cómodo y relajado, tranquilo y positivo. Existen diferentes tipos de terapia familiar, aunque la mayoría de ellos tienden a descubrir y aprovechar los puntos fuertes de la familia para ayudar al chico con depresión a superar sus problemas y a seguir adelante en la vida.

Historia de Sue

(viene de la p. 72)

Además de a las sesiones de psicoterapia, Sue también asistía con sus padres a reuniones para familias en la clínica, donde les enseñaban a comprender los puntos de vista mutuos. Aunque los padres de Sue estaban extremadamente preocupados por la depresión de su hija y ansiaban su mejoría, algunas de las cosas que hacían no eran las más adecuadas en una situación de este tipo. Por ejemplo, intentando animarla, mamá solía cambiar constantemente de tema de conversación y hablaba de sentimientos negativos. A Sue la irritaba muchísimo. Asimismo, las discusiones y peleas por la mañana para que se levantara de la cama y fuera a la escuela creaban una pésima atmósfera familiar.

En las reuniones, Sue y sus padres aprendieron a hacer las cosas de otro modo. Debían prestar atención a sus preocupaciones y aprovechar cualquier momento para estar juntos y charlar de otros temas. Por su parte, la niña se comprometía a ir a la escuela a diario y a ser más responsable. Pero por encima de todo, las reuniones los ayudaron a valorar los sentimientos de cada cual y sus puntos de vista. Sue agradecía que sus padres se preocuparan por ella, así como su deseo de ayudarla, y fue consciente de lo mal que lo estaban pasando, y éstos comprendieron la difícil situación de su hija y el apoyo que necesitaba.

Medicación

En ocasiones se recomienda un tratamiento a base de medicación antidepresiva para las formas moderadas o graves de depresión en los adolescentes, que se suelen combinar con otros tipos de terapia tales como la psicoterapia o el trabajo familiar. Los resultados de estos enfoques mixtos son más positivos que sólo con la medicación.

Muchas veces a los padres les preocupa que su hijo tome antidepresivos y se preguntan si no será el comienzo de una «pendiente resbaladiza» que pueda conducir a una vida de medicación. Lo cierto es que estos fármacos se prescriben durante períodos de tiempo relativamente largos, entre seis meses y un año, aunque siempre bajo el control estricto del médico y reduciendo gradualmente las dosis transcurridos algunos meses. Si sólo se administran durante cortos períodos de tiempo (algunas semanas, etc.), el tratamiento también puede ser eficaz, pero a menudo los síntomas de la depresión reaparecen rápidamente al interrumpir las tomas. Es preferible prolongar la medicación entre seis meses y un año y luego reducir las dosis poco a poco.

Uno de los principales beneficios de los antidepresivos es que elevan lo suficiente el estado de ánimo del chico como para que sea capaz de participar en algún tipo de terapia de conversación. Los adolescentes con una depresión muy grave suelen estar incapacitados para la psicoterapia o la ayuda del psicólogo; están tan confusos que ni siquiera pueden expresar con palabras lo que sienten.

Los antidepresivos no son «píldoras mágicas», pero pueden ayudar muchísimo a un adolescente con una depresión moderada o grave. Los más utilizados son los SSRI (inhibidores del reuso de serotonina). Se toman una vez al día y tienen pocos efectos secundarios. Es importante preguntar al doctor si los tiene y qué hay que hacer si se presentan. La mayoría de los antidepresivos tardan 2 o 3 semanas en surtir efecto, y entre 4 y 6 semanas para que el efecto sea apreciable.

La idea de que los SSRI crean adicción ha sido divulgada en gran medida por los medios de comunicación. Es muy inusual que un chico adquiera dependencia de una medicación antidepresiva, y en realidad suele ocurrir lo contrario, es decir, que haya que insistir para que la tome cuando el tratamiento es prolongado. El riesgo de dependencia es incluso menor si la ingesta de los fármacos se reduce muy gradualmente hasta interrumpirla transcurridos algunos meses.

También es motivo de controversia si los SSRI inducen a algunas personas al suicidio. La opinión de los profesionales está dividida, y los partidarios de cada posición aportan sus propias pruebas que apoyan sus argumentos. Pero desde luego, cualquier afirmación rotunda sería gratuita, pues hasta la fecha no se ha demostrado, por lo menos en el caso de los jóvenes, que los antidepresivos provoquen esta tendencia. En cualquier caso, es una cuestión que siempre preocupa a los padres. Lo examinaremos más detenidamente en el Capítulo 8.

Algunos SSRI no están recomendados para los adolescentes, mientras que otros tienen efectos más moderados y parecen tolerarlos mucho mejor. Es importante que los padres hablen acerca de sus preocupaciones con el médico que los ha prescrito. Según mi experiencia, los antidepresivos, cuando se utilizan con cuidado y con una completa información en relación con su uso, pueden ser enormemente beneficiosos para los adolescentes con trastornos depresivos. En todo caso, las ventajas siempre superan los inconvenientes.

Hospitalización

En ocasiones, cuando hay riesgo de suicidio y ya no es posible garantizar la integridad del paciente en casa, o si la depresión es tan grave que afecta directamente a su salud física incapacitándolo para comer o beber o levantarse de la cama, se impone un tratamiento intrahospitalario. También puede ser aconsejable si el trastorno depresivo tiene características psicóticas (la mente del paciente ha perdido el contacto con la realidad o tiene creencias fijas que no son ciertas de que ha hecho algo muy mal o que la gente está urdiendo planes para hacerle daño o matarlo, etc.). Entre otras experiencias que pueden concurrir en una depresión psicótica se incluyen oír voces que aterrorizan, amenazan o perturban sobremanera. Son francamente desagradables, pero su influencia en el grado de angustia es especialmente elevado en un adolescente. También se puede sugerir un ingreso hospitalario cuando la depresión no ha respondido al tratamiento ambulatorio y se necesita otro más intensivo.

A los jóvenes que necesitan asistencia intrahospitalaria se los trata en una unidad psiquiátrica para adolescentes, donde la vigilancia y la programación diarias son las apropiadas para su edad. Estas unidades desarrollan un programa de actividades, reuniones de grupo y sesiones de terapia, dirigido todo ello a ayudar al chico y a su familia a superar sus dificultades. La duración del tratamiento intrahospitalario puede variar de unos cuantos días en una crisis aguda a varias semanas en casos más complejos. En la actualidad, la mayoría de las unidades intentan que la permanencia del paciente en el centro sea lo más breve posible, continuando el tratamiento en régimen ambulatorio una vez dado de alta, pues es en el «mundo real» del hogar, la familia, la escuela o el trabajo donde realizará los mayores progresos.

Cuando los medios son insuficientes, puede ser necesario

un ingreso en una unidad psiquiátrica para adultos, una perspectiva poco halagüeña que sólo se recomienda como último recurso, y donde es esencial que la persona esté a salvo. El personal de estas unidades es muy consciente de los riesgos que conlleva que un adolescente esté expuesto a pacientes adultos trastornados y procura siempre que la estancia sea lo más breve posible.

Que un hijo requiera tratamiento intrahospitalario puede parecer un «callejón sin salida» definitivo para sus padres, pero en realidad no es así. Muchos jóvenes han recibido este tipo de tratamiento y se han recuperado completamente. Tu tarea como padre es darle todo el apoyo posible en tan difíciles momentos para que se mantenga fuerte, positivo y no pierda sus esperanzas en la vida.

Hospital de día

Si tienes la suerte de vivir cerca de un centro que ofrezca programas de tratamiento en régimen de hospital de día, tu hijo se beneficiará de una asistencia intensiva sin necesidad de ingreso. Acudirá varias horas al día para realizar sesiones de terapia individual o de grupo, para control de medicación y actividades terapéuticas destinadas a fortalecer su confianza. Algunas de estas unidades disponen de instalaciones educativas que pueden ayudar al chico a superar los miedos generados por un posible fracaso escolar.

La mayoría de los programas para adolescentes en régimen de hospital de día se desarrollan en estrecho contacto con los padres o cuidadores del adolescente, y el hecho de que viva en casa mientras acude al programa de día facilita una buena relación de trabajo entre la familia y el personal del centro.

Historia de Tom

(viene de la p. 65)

Tom acude a la unidad local del servicio de salud mental para niños y adolescentes (CAMHS) acompañado de sus padres. Los tres están muy nerviosos; no saben en qué consiste el programa asistencial. Están confusos por algunas de las preguntas que les formulan los dos profesionales que se reúnen con ellos en la primera visita. Primero, todos juntos, y luego uno de los médicos habla con Tom a solas, mientras el otro hace lo propio con sus padres. La visita dura casi dos horas, pero al salir comprenden mucho mejor la situación de su hijo. Han quedado asombrados cuando les han dicho que Tom tiene depresión; ahora son conscientes del cúmulo de problemas que Tom ha tenido que soportar en los últimos años. Ha habido mucha tensión en la familia, ya que sus padres han tenido sus propias dificultades como pareja y han considerado la posibilidad de separarse, y Tom ha sido incapaz de integrarse en la escuela secundaria en la que ingresó el pasado año, pues se siente intimidado y excluido.

Les han dicho que el plan para tratar la depresión incluye una terapia para Tom y reuniones regulares con sus padres para poder apoyarlo mejor y acelerar su recuperación. Asimismo, les han aconsejado que le resultaría muy beneficioso seguir un tratamiento con antidepresivos (véase p. 75). Tom está de acuerdo; se siente tan mal que está dispuesto a aceptar cualquier ayuda. Pero sus padres no son tan impulsivos y tienen algunas dudas al respecto: ¿desarrollará una dependencia de la medicación?, ¿cambiará su personalidad?, ¿cuánto tiempo durará el tratamiento? Les indican que no tienen por qué tomar una decisión en ese mismo momento, sino que pueden hablarlo y comunicársela al psiquiatra en la próxima reunión.

Los padres de Tom deciden consultar a su médico de familia para conocer su opinión. Tras visitar a Tom y darse cuenta de su pésimo estado de ánimo, les recomienda seguir el tratamiento, que se inicia después de la siguiente visita al psiquiatra.

Tom acepta visitar a un terapeuta para que lo ayude con los problemas que ha identificado (se siente muy mal, está fatigado, no concilia el sueño y no tiene amigos). De la mano del terapeuta, Tom descubre nuevas formas de afrontar estos problemas. Realiza dos sesiones semanales el primer mes, y luego a intervalos de dos semanas en los tres meses siguientes. Sus padres, que hasta ahora no habían sido conscientes de lo mal que estaba su hijo, acuerdan ayudarlo como pareja para decidir si trabajarán para salvar su relación o si lo harán por separado. Se reúnen con el terapeuta de Tom una vez al mes para apoyar el trabajo que éste realiza en las sesiones, y el terapeuta les sugiere algunas ideas que podrían ayudarlo en su comportamiento en casa.

(continúa en la p. 99)

Duración

La duración del tratamiento depende de muchos factores, unos predecibles y otros no. Los trastornos depresivos leves o moderados suelen responder al tratamiento a las pocas semanas o meses, mientras que los graves pueden ser más prolongados, sobre todo cuando concurren aislamiento social, falta de asistencia a la escuela y graves conflictos familiares. Estudios realizados con adolescentes diagnosticados de depresión han demostrado que alrededor del 80% de ellos se han recuperado en dos años (véase Capítulo 11). Es mucho lo que puedes hacer para tu hijo y para ti mismo durante este período de tiempo (véase Capítulo 7).

Capítulo 7

¿Qué pueden hacer los padres?

Es fácil sentirse agobiado y abrumado cuando se vive con alguien que padece depresión. Es algo así como si casi se te «contagiara» y fueras incapaz de ver la luz al final del túnel, en la seguridad de que nada se puede hacer para cambiar la situación. Pero los padres pueden ayudar mucho a su hijo aquejado de depresión. En realidad, son decisivos para su recuperación. En este capítulo examinaremos las cosas que puedes hacer como padre para ayudar a tu hijo, prestando especial atención a la importancia de no desatender tus propias necesidades o las de los demás miembros de la familia durante este difícil período de tiempo.

APOYAR A TU HIJO

Adivinar cuándo algo anda mal

Cuando la depresión se manifiesta en forma de comportamiento irritable y de alteración del estado de ánimo, cuyos destinatarios casi siempre suelen ser los padres, lo más común es reaccionar de un modo similar, lo que conduce inevitablemente a una escalada de peleas y tensiones en el entorno familiar. En estos casos, es aconsejable pararse a pensar y preguntarse qué es lo que le puede estar pasando a tu hijo. ¿Cómo se siente? ¿Qué marcha bien o mal en su vida? ¿Cuál es la causa de su permanente mal humor? Aunque los adolescentes no suelen responder a las preguntas directas sobre este tipo de cuestiones (¿la respuesta habitual? «Todo va bien», «déjame en paz», etc.), es importante actuar con serenidad y no darles a entender que nos estamos entrometiendo en su vida, como parte de la autoridad familiar de la que estamos investidos como padres, para que les sea más llevadero expresar sus sentimientos. Algunos estudios han demostrado que hablar con alguien, habitualmente un padre, es lo que los adolescentes consideran más beneficioso para superar la depresión (véase Capítulo 10). En los siguientes apartados se describen formas de abrir las líneas de comunicación entre tu hijo y tú.

Mantener la conexión

Muchos padres han descubierto que, aunque no pueden discutir nada relacionado con las áreas de conflicto de sus hijos, sí pueden mantener una conexión con ellos a través de temas «tópicos» (programas de televisión, deportes, moda, etc.) por los que todos comparten un interés. Estos nodos de comunicación fluida se pueden potenciar y disfrutar positivamente sin necesidad de tener que abordar «áreas más profundas» de conversación. Mantener una conexión con el adolescente con depresión es muy importante; alimenta tu relación con él y proporciona una «línea vital» entre ambos. Los adolescentes se sincerarán más fácilmente o solicitarán tu ayuda si previamente han establecido una buena conexión contigo. Aun así, establecerla no es fácil; pueden eludir cualquier intento por «conocerlos» mejor y mostrar una actitud de rechazo. Sin embargo, merece la pena insistir, siempre con amabilidad y sin presiones. Podrías cambiar de estrategia y hacer un esfuerzo por interesarte por alguna afición de tu hijo, como por ejemplo la música o el fútbol, en lugar de criticarlo o argumentar falta de tiempo libre para estar con él. Estas conexiones cotidianas sientan las bases de una buena relación paternofilial.

Reservar un tiempo para tu hijo

Si tu hijo está deprimido, es una buena idea intentar pasar un tiempo de calidad, ameno y relajado, con él, aunque a menudo resulta más complejo de lo que inicialmente pueda parecer. Los adolescentes están atrapados en su mundo, en su propia vida, y si sufren una depresión suelen desear estar solos, o por lo menos, no con sus padres. Con todo, vale la pena ser persistente y pensar en formas de poder disfrutar un tiempo cara a cara con ellos. Programad actividades juntos, tales como ir a un partido de baloncesto o de compras; es un tiempo informal muy valioso. También podrías aprovechar su vuelta de la escuela, cuando tal vez esté dispuesto a hablar, o por la noche antes de acostarse. Cuando preguntamos a los padres cuál es el mejor momento para charlar con su hijo, una de las respuestas más comunes es «Cuando van en coche». Además de conversar sobre cuestiones ordinarias, los temas de mayor importancia suelen salir a la luz con más facilidad. Tu hijo te está considerando su «chófer» particular. Aprovecha este tiempo como una oportunidad y sácale el mayor partido posible para conocer lo que pasa en su vida.

Escucha activa

Este tipo de escucha aumenta la comunicación y ayuda a los jóvenes a sentirse comprendidos. Se trata de prestarles atención cuando se muestran predispuestos a hablar, aunque no es algo que resulte fácil en nuestro ajetreado devenir cotidiano. También implica no interrumpirlo o aconsejarlo, sino hacer comentarios acerca de lo que está diciendo de una forma que demuestre interés y un esfuerzo de comprensión («Debe ser difícil», «Imagino cómo te sientes», etc.). Escucha lo que tiene que decirte sin fingidas expresiones de ánimo o felicitación, o de apremio para que exprese sus sentimientos.

Puede ser muy desagradable escuchar a tu hijo hablando de su sufrimiento o desesperanza, y existe una tendencia comprensible a mostrarse en desacuerdo con él destacando las cosas positivas de su vida o estimulándolo a seguir adelante. Esto puede darle a entender que no has conseguido comprender lo que en realidad está diciendo, y en consecuencia, estará menos dispuesto a volver a confiar en ti. La «escucha activa» le permitirá apreciar que, en efecto, estás haciendo lo posible para intentar comprender cómo se siente y facilitará la comunicación.

Con frecuencia los padres se preguntan si prestando tanta atención a los sentimientos negativos de sus hijos no conseguirán sino que arraiguen más profundamente y si no sería más eficaz hablar de cosas positivas y agradables. Hay que buscar el equilibrio. Los adolescentes no sólo necesitan unos padres que los escuchen y acepten sus preocupaciones, sino también que los estimulen y ayuden a sentirse alegres y dichosos de vez en cuando. Una madre y su hija con las que trabajé solían tener conversaciones tan largas acerca de sus sentimientos negativos que era casi el único tema que compartían. ¿El resultado? Las dos estaban extremadamente desanimadas y deprimidas. Durante una terapia familiar cambiaron esta pauta. En lugar de pasarse todo el santo día hablando de preocupaciones, lo limitaron a una sola charla al día, después de cenar. En las demás ocasiones elegían cuestiones más intrascendentes y más positivas en su vida. Este enfoque equilibrado marcó la diferencia.

Pequeños pasos en una dirección positiva

Aunque en ocasiones den la sensación de que nada les importa, lo cierto es que los adolescentes necesitan mucho apoyo de sus padres. Una sincera felicitación por algo que han hecho o la atención a cuanto dicen y hacen de positivo puede marcar la diferencia en su vida de cada día. Es importante que este apoyo sea genuino, pues suelen tener un agudísimo sexto sentido que les permite adivinar los falsos «¡estupendo!» o «¡eres genial!» y cualquier tipo de maniobra manipuladora. No hay que olvidar que cada chico es diferente, y que lo que da buenos resultados a uno, no vale para otro. Es importante encontrar la forma de apoyarlos a través de las actividades cotidianas rutinarias, tales como:

- apreciar sus esfuerzos en la escuela;
- agradecer casualmente su colaboración en las tareas domésticas en lugar de dar por sentado que es su obligación;
- felicitarlos por su aspecto cuidado o por la ropa que visten.

El apoyo es particularmente útil en el caso de un adolescente con depresión. Conviene prestar atención y comentar el menor signo de progreso. Es la mejor manera de ayudarlo a superarla. Cosas aparentemente tan triviales como felicitarlo por haberse aseado a tiempo para tomar el autobús escolar, haber tomado una ducha, ordenado su cuarto o evitado una riña con su hermana, tienen una importancia extraordinaria. Un comentario positivo, aunque dé la impresión de que tu hijo ni siquiera lo ha advertido, puede impulsar su autoestima y propiciar la repetición de estos pequeños pasos en su recuperación.

Historia de Mark

Los padres de Mark, que ahora tiene 14 años, se separaron cuando tenía 6. Vive con su madre y el nuevo marido de ésta, su padrastro. Sus padres se han esforzado para que mantenga una buena relación con los dos. Solía pasar la mayoría de los fines de semana con papá hasta que éste, hace dos años, encontró una nueva pareja. Mark no congenia demasiado con ella, y cuando tuvieron un bebé, le resultó muy difícil aceptarlo. Ya no quiere estar con su padre, lo cual crea tensiones entre las dos familias. El conflicto entre el muchacho y sus cuatro figuras paternas va en aumento, y también entre sus padres, que se acusan mutuamente de las dificultades por las que está atravesando su hijo.

Mark se muestra cada vez más irritable y retraído. Llega tarde a la escuela, rinde poco y pasa la mayor parte de los fines de semana encerrado en su habitación. Recientemente, tras una discusión con mamá, ha ingerido una sobredosis de paracetamol y ha sido ingresado en un hospital. Mark le ha dicho al psicólogo que desde siempre había esperado que sus padres volvieran a estar juntos, pero que cuando papá tuvo un hijo se dio cuenta de que sería imposible. Se queja de que ahora su padre tiene menos tiempo para él cuando lo visita y de que nadie comprende cómo se siente.

La sobredosis ha sido una especie de reloj despertador para sus padres, que hasta la fecha no habían advertido la gravedad de lo que estaba ocurriendo, y han decidido hacer las cosas de otro modo, dejando a un lado sus disensiones y centrándose en las necesidades de Mark. A pesar de su nueva familia, papá intenta disponer de más tiempo para él cuando está en su casa, organizando actividades que puedan hacer juntos, tales como ir a un partido de fútbol. Mark no lo ha aceptado sin más; se muestra reacio a tomar en consideración los intentos de su padre de estar con él, y a menudo organiza sus propias actividades o responde con un «no» rotundo a sus propuestas. Papá sigue insistiendo y descubre que, en lugar de salir juntos, es preferible estar a su lado en situaciones más informales. Se ha dado cuenta de que Mark se muestra más abierto para conversar por la noche antes de acostarse o cuando van en coche. Su padre procura aprovechar al máximo estas oportunidades de conexión. Asimismo, ha empezado a interesarse por sus aficiones, la música, el deporte y el culebrón de televisión, comentando juntos a carcajadas los avatares de la vida de los personajes y pasando un rato muy divertido. Con el tiempo, Mark empieza a abrirse cada vez más con su padre y su relación mejora. En una ocasión, muy abatido, le cuenta lo difícil que es para él hacer amigos en la escuela. Su padre lo escucha con atención y en el fondo, a pesar del sufrimiento de su hijo, se siente muy satisfecho de que haya confiado en él y que no haya recurrido de nuevo a las píldoras.

Abordar los problemas de disciplina y los conflictos

En situaciones familiares normales, la adolescencia es de por sí compleja y conflictiva. En este período de su vida, los adolescentes se están independizando de sus padres y aprendiendo a ser ellos mismos. Las tiranteces son inevitables, ya que desafían las reglas y los límites en su búsqueda de la libertad y la autonomía personal. Aun así, es ahora cuando necesitan más que nunca el apoyo y la orientación de sus padres. El desafío de ser padre de un adolescente estriba en mostrarse firme en la negociación de las reglas, pero respaldándolo y animándolo en todo momento mientras se implica y permanece vinculado a su vida. La finalidad a largo plazo es ayudarlo a crecer y asumir las responsabilidades de su vida, además de hacerle más fácil el establecimiento de buenas relaciones con los demás.

Si el chico sufre una depresión, la situación se complica aún más si cabe. Tal vez te sientas confundido y no sepas cómo deberías reaccionar, preguntándote hasta qué punto deberías exigirle que hiciera cosas normales. A menudo tienes la sensación de estar «pisando una cáscara de huevo», sin atreverte a hollar con demasiada fuerza para no empeorar las cosas y perjudicar aún más a tu hijo. En realidad, al igual que cualquier otro muchacho de su edad, un adolescente con depresión necesita un enfoque flexible y equilibrado por parte de sus padres. Deben estar a su lado para apoyarlo y estimularlo, pero sin temer mostrarse firmes y dispuestos a conseguir, por su bien, que asuma poco a poco sus responsabilidades. En los cuatro subapartados siguientes examinaremos brevemente los cuatro principios para la resolución de conflictos y el uso de la disciplina en la adolescencia:

1. Pulsar el botón de «pausa»
2. Escucha activa
3. Punto de vista
4. Negociación y alternativas

Pulsar el botón de «pausa»

Cuando un adolescente se muestra desconsiderado y abusivo, infringe las reglas o es un chico «difícil», las peleas y discusiones familiares suelen ser habituales, acompañadas de gritos, palabras que luego te arrepientes de haber dicho o incluso la violencia física. En muchos casos, «pulsar el botón de "pausa"» te puede ayudar a mantener el control, decidir cuál es la mejor manera de abordar la situación y evitar decir o hacer cosas que puedan deteriorar la relación con tu hijo. «Pulsar el botón de "pausa"» significa respirar profundamente, contener los impulsos y explicar que estás demasiado enojado o disgustado para tratar el tema en este momento, y que será mejor aparcarlo hasta más tarde.

Historia de John

John, de 14 años, había ido a la discoteca con sus amigos, y sus padres le dijeron que debía estar en casa a medianoche. Peter, el padre, estuvo esperándolo, pero John no llegó a la hora convenida. Por fin apareció; eran las 2 de la madrugada. Olía a alcohol. La reacción instintiva de Peter habría sido «darle un bofetón», decirle lo que pensaba de él y las consecuencias que iba a tener su comportamiento. Pero en lugar de eso, consciente de que aquél no era el momento más adecuado para hablar del tema, abrió la puerta, le dijo que estaba muy enfadado por lo ocurrido, no respondió a las excusas de John y le dijo que hablarían por la mañana.

Al día siguiente, Peter habló con su hijo, lo escuchó mientras su hijo le contaba que todos sus amigos habían estado bebiendo y que sus padres les habían dejado estar fuera hasta las 2 de la madrugada. Su padre le dijo con firmeza que, a causa de lo ocurrido, no volvería a ir a la discoteca en los tres meses siguientes, y que luego debería estar en casa una hora antes de lo habitual. Peter no perdió el control y no entró en discusiones con John, quien, aun a regañadientes, aceptó las consecuencias de su conducta.

Escuchando activamente

«Escucha activa» significa dedicar el tiempo necesario para comprender y valorar el punto de vista del chico, y ponerse en su lugar. Implica considerar la depresión como algo importante y tomar consciencia de hasta qué punto las cosas son difíciles para él y las luchas interiores por las que está atravesando. En lugar de reaccionar con irritabilidad, la escucha activa sugiere un esfuerzo para llegar hasta el fondo del asunto (tal vez tu hijo haya tenido un mal día en la escuela, etc.).

La escucha activa es especialmente significativa en cuestiones de disciplina. En lugar de enfrentarse automáticamente con el adolescente porque ha llegado tarde a casa, no asea su cuarto o rinde poco en la escuela, merece la pena intentar escucharlo para hacerse una idea lo más aproximada posible de su punto de vista. Este enfoque suele dar mejores resultados. Dicho en otras palabras, la escucha activa implica dedicar un tiempo a hablar de los problemas con el chico. Casi siempre implica «pulsar el botón de "pausa"» y evitar una respuesta inmediata, reflexionando con calma, por el contrario, para conocer y comprender las cosas desde su perspectiva.

Punto de vista

Además de ser un buen «escuchador», la paternidad responsable implica ser capaz de desafiar y enfrentarse con firmeza al adolescente, aunque con el máximo respeto. Los padres sensatos no cierran los ojos ante un hábito incipiente de tomar alcohol los fines de semana ni su carácter cada vez más retraído o malhumorado, ni tampoco evitan hablar sobre el pésimo rendimiento de su hija en la escuela. Además de escuchar, la paternidad responsable exige la capacidad de ofrecer tu punto de vista con firmeza y seriedad. Ser capaz de escuchar y opinar constituye la base de la resolución de la mayoría de los conflictos. La forma de dar una opinión es asimismo esencial. Si estás muy disgustado, tu hijo no te escuchará. De igual modo, es importante no adoptar una actitud pasiva que te impida manifestar tus puntos de vista por temor a enojarlo o ceder tan fácilmente que te arrolle con sus argumentos. El objetivo es hablar con firmeza, comunicando con tranquilidad y respeto lo que piensas y asegurándote de dejar bien claras tus intenciones y sentimientos. Por ejemplo, en lugar de decir «¿Por qué has llegado tan tarde? ¡Estaba a punto de estallar!», sería mejor optar por «Me pregunto por qué habrás estado tanto tiempo fuera, sobre todo por la noche. Necesito saber que estás bien».

Negociación y alternativas

El secreto de la disciplina con los adolescentes reside en la negociación. En lugar de limitarse a imponer reglas, es importante discutirlas y, en lo posible, negociar compromisos. Este proceso de negociación no sólo te permitirá definir las soluciones más adecuadas, sino que también enseñará a tu hijo a comunicarse y mantener una conexión positiva contigo.

Ofrecerle alternativas y consecuencias en caso de infracción le enseña a responsabilizarse de sus actos. No discutas con un adolescente con depresión cuando quieras que haga algo que no desea hacer; dale alternativas de elección. Por ejemplo, si tu hijo se niega a ir a la escuela y prefiere pasar todo el día en casa mientras trabajas, puedes darle a elegir entre ir a la escuela o a casa de su abuela para ayudarla en las tareas domésticas, y si se encierra durante horas en su habitación, con las cortinas corridas y los vasos y platos amontonados en cualquier rincón, puedes darle a elegir entre limpiar y airear el cuarto o fregar los cacharros. Las alternativas deben ser impositivas y lo más simples y claras posible. A menudo, los jóvenes con trastornos depresivos tienen dificultades para tomar una decisión, de manera que cuando tu hijo lo haga, aprovecha la ocasión para elogiar ese pequeño paso adelante en una dirección positiva.

Historia de Sheila

Los padres de Sheila, de 14 años, estaban cada vez más preocupados por sus constantes cambios de humor y retraimiento. Pasaba interminables horas encerrada en su cuarto, no quería salir de casa y la relación con sus amigos se estaba deteriorando. Su rendimiento escolar iba de mal en peor. Sus padres se debatían en vano por disciplinarla, a voz en grito. La atmósfera familiar era una olla a presión. Sheila los ignoraba por completo. Desesperados, consultaron con un psicólogo en la escuela, quien les sugirió la posibilidad de que estuviera deprimida.

Juntos discutieron las diferentes estrategias que podían utilizar para ayudar a Sheila. Primero decidieron hablar con ella. Se encargaría mamá, por afinidad femenina, y elegiría un momento después de la cena cuando estuviera levantada y en una actitud más tolerante. Durante la conversación, su madre adoptó una actitud serena pero firme. Le explicó lo preocupados que estaban ella y su padre, y que no podían seguir aceptando que faltara a la escuela y que pasara todo el día en su cuarto. Al principio, Sheila se enfadó, diciendo que «simplemente quería estar sola». Su madre, sin perder la calma, le dijo que lo comprendía, pero que como su madre que era no podía permanecer con los brazos cruzados y sin hacer nada. El disgusto y mal humor de Sheila iban en aumento. Su madre no perdió los nervios y esperó a que transcurrieran un par de horas para que se tranquilizara. «Sheila, tenemos que hablar...» La niña se abrió un poco y le contó lo sola y lo mal que se sentía. Su madre la escuchó con atención.

Más tarde empezaron a negociar acerca de lo que podrían hacer para solucionar el problema, y acordaron que Sheila no pasaría toda la tarde encerrada y que por lo menos cenaría en la mesa y saldría de casa una vez al día. Siguieron hablando sobre cómo podían ayudarla para reincorporarse a la rutina escolar y le sugirió visitar al psicólogo. Este nuevo enfoque, firme pero muy respetuoso, propició un cambio de actitud, y con el tiempo las cosas empezaron a mejorar para Sheila.

SEGUIR ADELANTE

¡Cuídate!

Cuidarse significa comer bien y comer sano, hacer ejercicio y salir de vez en cuando con toda la familia de paseo, de excursión o a cenar a un restaurante. También incluye reservar algún tiempo a un hobby o tomar un café con un amigo que esté al corriente de tu situación. No es fácil dejar solo a tu hijo con depresión en casa rondándote por la cabeza que algo podría ocurrir en tu ausencia, pero aun así necesitas «recargar las pilas». Regresarás al entorno familiar renovado y con energía. Y si realmente te preocupa mucho lo que pudiera sucederle, tal vez puedas pedir a otro familiar o a un buen amigo que le haga compañía durante tu ausencia.

Si estás sometido a un terrible estrés (también tú te sientes deprimido, bebes en exceso o estás malhumorado todo el día), busca ayuda independientemente de la que tu hijo podría estar recibiendo. Cuidarte puede ser el primer paso para ayudarlo.

Grupos de apoyo

A algunos padres les resulta útil participar en un grupo de apoyo para familias en las que alguno de sus miembros sufre un trastorno depresivo. Se sienten comprendidos cuando conocen a otras personas que saben lo que implica convivir con un hijo con depresión, y a menudo aprovechan ideas que pueden ayudarlos a sobrellevar mejor la situación. Habla con tu médico o con el centro de salud mental local para que te informen.

AYUDAR A LOS DEMÁS HIJOS A AFRONTAR LA SITUACIÓN

Las exigencias del cuidado de un adolescente con depresión pueden someter a toda la familia a una extraordinaria tensión. Los demás hijos pueden tener la impresión de que se los ignora, mientras su hermano copa toda la atención. Esto puede sembrar semillas de resentimiento que en nada contribuyen a la recuperación de tu hijo deprimido ni al bienestar de sus hermanos.

Explicación

Es una buena idea exponer a tus otros hijos tu punto de vista acerca de las dificultades por las que está atravesando su hermano. Los niños, y también muchos adultos, no comprenden el término «depresión». En tal caso es preferible decir: «Marc lo está pasando muy mal en estos momentos. Ya sé que es frustrante y molesto para todos, pero debemos intentar ser pacientes con él. Sin duda lo superará, pero llevará algún tiempo. Debemos ayudarnos mutuamente y mantenernos unidos».

Es perfectamente normal que tus otros hijos se muestren muy enojados con su hermano, y es importante que tengan la oportunidad de expresar sus sentimientos sin culparlo ni responsabilizarlo de los problemas que está ocasionando en casa. Procura dedicar más tiempo que de costumbre a sus hermanos, escúchalos activamente y presta la máxima atención a cuanto tengan que decir. Es posible que les resulte más fácil comprender y superar mejor la situación si los incluyes en el trabajo familiar que pueda formar parte del tratamiento.

Continuar con las actividades diarias

La vida parece detenerse cuando un miembro de la familia sufre un trastorno depresivo, de manera que conviene fomentar las actividades y aficiones de tus otros hijos para que no pierdan el ritmo. No dejes de celebrar los cumpleaños y los días festivos por el mero hecho de que tu hijo con depresión no desee participar. En este sentido vas a necesitar todo el apoyo posible de los demás miembros de la familia. No temas pedir ayuda y explicar la situación al resto de los parientes; la mayoría de ellos lo comprenderán y se mostrarán solícitos a la hora de ocuparse de algunas cosas, tales como recoger a uno de sus hermanos al finalizar el partido de fútbol o llevarlos de excursión todo un día con su propia familia. Los abuelos suelen mostrarse muy predispuestos a colaborar.

Abordar los problemas familiares

En todas las familias hay problemas. La diferencia entre una familia «saludable» y otra «enferma» reside en la forma de afrontarlos. Las familias saludables son conscientes de los problemas, procuran analizarlos, discutirlos juntos y adoptar medidas para intentar solucionarlos. En ocasiones, los jóvenes con depresión proceden de familias en los que se niegan los problemas, no se puede hablar de ellos y en consecuencia no se resuelven. Cierto es que algunos son irresolubles, pero aceptar su realidad y esforzarse para encontrar una solución puede ser muy útil para un adolescente.

Pedir consejo a familiares y amigos

Para muchos padres ésta es una de las cosas más difíciles de hacer. Cada cual tiene una opinión diferente acerca de «cómo se debería actuar», mientras nadie mejor que tú sabe todo cuanto has intentado infructuosamente. En ocasiones, el alud de consejos es tan molesto para los padres que interrumpen toda relación con la familia y los amigos, aislándose cada vez más.

Hay que tener en cuenta que los consejos se ofrecen siempre para ayudar, aunque la mayoría de las veces sean inútiles. Es algo similar a decirle a tu hijo «olvídate de la depresión». Como consejo puede estar bien, pero su resultado es nefasto.

Quizá pudieras explicar a tus parientes y amigos que comprendes y agradeces su buena intención, pero que deseas un «tiempo muerto» sin comentarios relacionados con la situación, y que preferirías compartir una buena taza de café mientras charlas informalmente de cualquier otra cosa. La mayoría de ellos se harán cargo de la situación.

Lo que no deben hacer los padres

Desengáñate, por más que te esfuerces es imposible obrar un milagro y conseguir que tu hijo supere sin más su depresión o se sienta feliz. Simplemente no puedes. Pero lo que sí puedes hacer es apoyarlo y alimentar sus esperanzas de recuperación.

Tampoco puedes hacer amigos para él. Muchos adolescentes con un trastorno depresivo se aíslan y quieren estar solos, mientras que sus padres consideran que si tuvieran amigos ello contribuiría a solucionar una buena parte de sus problemas. Apóyalo en lo necesario en sus intentos de relacionarse, aunque sólo se trate de responder al teléfono. Son pequeños pasos que reducen el aislamiento social y permiten vislumbrar un futuro más halagüeño.

Historia de Tom

(viene de la p. 80)

Además de asistir a las sesiones de psicoterapia en el centro de salud mental para adolescentes, los padres de Tom, por su parte, están intentando hacer algunos cambios en casa para contribuir a su progreso, dedicando un tiempo extra a estar en su compañía y charlar con él. Su madre está potenciando una conexión con Tom a través de una de sus aficiones, la música rock. Asimismo, procuran prestar la máxima atención al menor de sus progresos y se lo comentan con satisfacción: cuando ve la televisión con la familia le hacen saber lo contentos que están de tenerlo a su lado; cuando evita una discusión con su hermanita, elogian su control, y ambos se esfuerzan por no reaccionar con enojo cuando está enfadado. La atmósfera en casa es un poco más tranquila.

Tom decide reanudar los entrenamientos de baloncesto.

Sus padres lo estimulan a hacerlo, aunque sin presionarlo. Papá se presta a llevarlo y recogerlo en coche, aprovechando esta oportunidad para charlar con él de baloncesto y otros temas intrascendentes. Tom aún no asiste todo el día a la escuela, casi siempre llega tarde cuando va o no se levanta de la cama a la hora prevista. Sus padres lo elogian cuando lo consigue.

Los padres de Tom han hablado largo y tendido de sus dificultades con el director de la escuela y juntos han elaborado un plan para ayudarlo. Los profesores aceptan sus retrasos, pero insisten en que debe recuperar el trabajo hecho en clase durante sus ausencias. Aprecian en su justa medida los esfuerzos de Tom pero se muestran firmes en sus expectativas.

Tom está mejorando poco a poco, y durante los seis meses siguientes su «antiguo yo» empieza a aflorar. Ahora asiste regularmente a los entrenamientos de baloncesto y de vez en cuando sale con alguno de sus compañeros de equipo después de la sesión. Ha vuelto a la escuela todo el día y duerme mejor, y si bien algunos días aún se siente «adormilado» en casa, ya no es como antes. Canta y silba en el cuarto de baño y hay que sugerirle que baje el volumen del equipo de música.

Tom opina que ya no necesita tomar antidepresivos, aunque el médico le aconseja hacerlo por lo menos durante otros seis meses. Así pues, el tratamiento se habrá prolongado un año. Está previsto reducir gradualmente las dosis cada tres meses.

Sus padres están encantados con los cambios que ven en su hijo. Siguen abrigando algunas dudas acerca de su futuro juntos, pero tienen la sensación de que, con todo cuanto han vivido, serán capaces de ayudar a Tom a hacer frente a la situación cualquiera que sea la decisión que tomen.

Capítulo 8

Suicidio y autolesiones

Los índices de suicidio han aumentado considerablemente en la mayoría de las culturas occidentales en los pasados 10-15 años, sobre todo en los varones jóvenes. En Irlanda, por ejemplo, el suicidio es en la actualidad la causa principal de muerte en varones de 15 a 24 años, mientras que en el Reino Unido y Estados Unidos es la segunda en varones del mismo grupo de edad. Por desgracia, algunas muertes por suicidio no «caen del cielo», sino que según las investigaciones en muchos casos las personas del entorno de la víctima sabían que las cosas no marchaban bien y estaban preocupadas por su comportamiento. Algunos de estos jóvenes habían sufrido trastornos depresivos que a menudo no habían sido diagnosticados ni tratados.

El suicidio constituye la máxima preocupación de los padres de hijos con depresión, y aunque muchas veces no se comenta en voz alta, permanece invariablemente arraigada en su mente, temiendo que el mero hecho de mencionarlo pueda desencadenarlo.

Mitos acerca del suicidio

Hay un mito según el cual quien habla de suicidio, no lo comete. Es un error. Los jóvenes que hablan de suicidarse deben ser tomados siempre muy en serio. Muchos estudios han demostrado que alrededor del 25% de las víctimas por suicidio han comentado algo al respecto en los meses precedentes a su muerte.

Según otro mito, preguntar a alguien si tiene instintos suicidas puede «situarlo al borde del precipicio». Tampoco es verdad. Para quien está luchando por contener sus ideas suicidas puede ser de gran alivio poder expresar su preocupación a alguien que lo comprenda y pueda ayudarlo.

Por último, según un tercer mito, cuando alguien ha intentado suicidarse, siempre repetirá. En realidad no es así. En ocasiones, quienes sufren trastornos depresivos pueden ser incapaces de ver una luz al final del túnel y considerar el suicidio como la única forma de poner fin a su sufrimiento. Pero cuando la depresión ha pasado, las ideas de suicidio también suelen desaparecer.

¿Hay signos de alerta?

Los signos de alerta en caso de una depresión son relativamente evidentes, pero los de suicidio son muy escasos. Los síntomas que anuncian un trastorno depresivo ya se han descrito en el Capítulo 2: cambios en el estado de ánimo, pérdida de interés en la escuela, trabajo, hobbies, deportes, amigos, irritabilidad, cambios en las pautas de sueño, etc. Son signos comunes que indican que el chico tiene algunas dificultades y que merece la pena prestarles atención. Por el contrario, el suicidio carece de signos previos.

En cualquier caso, hay algunos síntomas que podrían presagiar un posible suicidio. Quienes han intentado suicidarse tienen un mayor riesgo que los demás. La muerte por suicidio de alguien próximo al adolescente, o a quien admire, aumenta el riesgo. Hablar de suicidio, estar preocupado por la muerte, regalar pertenencias, y despedirse de la familia y los amigos pueden indicar una predisposición especial a suicidarse.

¿QUÉ DEBES HACER SI TIENES ALGUNA SOSPECHA?

No dudes en hablar con tu hijo, preguntarle si se siente bien, si está abatido o si la vida parece no tener sentido para él. Escúchalo con atención y no intentes rebatir sus respuestas para animarlo. Si admite tener ideas suicidas, procura averiguar su profundidad: ¿Ha pensado en lo que haría o cómo lo haría? Los pensamientos suicidas transitorios en los adolescentes son frecuentes, pero haber diseñado un plan o mostrarse muy preocupado por la muerte no es común.

Si tu hijo se muestra dispuesto activamente al suicidio, no pierdas tiempo y llévalo de inmediato a urgencias del centro de salud mental más próximo. En otros casos, si no queda otro remedio que concertar una cita con el psiquiatra, es importante adoptar medidas prácticas que garanticen su integridad física, como por ejemplo que alguien esté permanentemente a su lado y eliminar los fármacos y demás utensilios peligrosos en casa.

CÓMO ABORDAR LOS INTENTOS DE SUICIDIO

Afortunadamente, el suicidio es relativamente infrecuente hoy en día, aunque los intentos son mucho más habituales, afectando a chicos y chicas por un igual, un claro indicador de que las cosas no son tan fáciles como parecen para ellos. A menudo los intentos de suicidio se producen después de un conflicto o una situación de tensión extrema, como en el caso de una acalorada discusión con los padres o un amigo, la ruptura de una relación sentimental u otros sucesos afines, aunque en realidad estos eventos no son su verdadera «causa» final. Los jóvenes que intentan suicidarse después de experiencias críticas como las que acabamos de mencionar son particularmente vulnerables como resultado de otras dificultades en su vida. De ahí que sea importante recabar el apoyo necesario para el adolescente que ha intentado poner fin a su vida. En este sentido, el servicio de psiquiatría del hospital más próximo, donde cuentan con todos los medios necesarios para prestarle asistencia, es ideal. En cualquier caso, y a falta de un servicio de este tipo, cualquier profesional de la salud mental sabrá cómo responder y ayudar al chico.

La mayoría de los padres se sienten desolados cuando su hijo intenta suicidarse. Es normal sentirse disgustado y profundamente herido, además de asustado por lo que podría haber sucedido. Asimismo, también es muy fácil sentirse culpable por no haber sido capaz de detectar los signos de alerta y enojado con el muchacho por haber hecho algo tan «estúpido» y aterrador. Una vez superado el shock inicial, los padres pueden intentar reaccionar borrando de su memoria todo lo ocurrido, procurando no hablar del tema, o mostrándose hipervigilantes, observando constantemente a su hijo. Es aconsejable equilibrar ambos extremos y optar una «respuesta intermedia»:

1. Una conversación franca y sincera entre padre e hijo, en ocasiones asistida por un profesional, acerca de las circunstancias que lo llevaron al intento de suicidio. Tómate tu tiempo para valorar los sentimientos de tu hijo y a su vez comunicarle cómo te sientes tú.

2. Elaborar un plan para abordar los problemas que desencadenaron el intento de suicidio (situaciones de estrés, etc.).
3. Diseñar un plan para mejorar la comunicación y las relaciones interpersonales en el entorno familiar.
4. Elaborar un plan realista para afrontar los problemas de disciplina en el futuro (véase la sección siguiente).

Aunque un intento de suicidio es un suceso desolador en una familia, invitamos a los padres y a sus hijos a considerarlo como un «punto de inflexión» o una oportunidad de cambio. Has tenido suerte, tu hijo no ha consumado sus propósitos. Ahora tienes la ocasión de seguir adelante y abordar los problemas que lo acucian y trabajar con ahínco para corregir todo cuanto necesita una mejora en la vida familiar.

La disciplina después de un intento de suicidio

Después de un intento de suicidio puede ser muy difícil para los padres abordar las cuestiones relacionadas con la disciplina. La próxima vez que te dispongas a imponer una regla («No, no puedes quedarte a dormir en casa de tu amigo», por ejemplo), de inmediato te asaltará la idea de que pueda hacer «algo estúpido» y que intente de nuevo suicidarse. Esto puede generar una atmósfera de extrema duda en casa que puede conducir a ignorar cualquier posibilidad de imponer la disciplina necesaria en todo entorno familiar.

Es importante sin embargo no olvidarla, sino seguir negociando con tu hijo, acordando reglas y consecuencias claras. Si el intento de suicidio ocurrió después de una discusión o desacuerdo, háblalo con él. Hazle saber que comprendes su estado de estrés, pero que un comportamiento suicida nunca está justificado. Ayúdalo a buscar alternativas en las que pueda enfrentarse a las dificultades y la pérdida del control cuando se produzca una hipotética discusión futura. Al igual que en circunstancias normales, los adolescentes que han intentado suicidarse necesitan no sólo unos padres que los apoyen, sino que no duden en establecer límites y mantengan la serenidad y firmeza en todo cuanto está relacionado con las cuestiones de disciplina. De lo que se trata es de ayudar a tu hijo a asumir la responsabilidad de sus acciones.

Historia de Tanya

Tanya, de 14 años, tomó una sobredosis de paracetamol después de una discusión con su madre. Quería ir a la disco con sus amigos, pero sus padres consideraron que eran aún demasiado pequeña. Tras ingerir las tabletas, se sintió asustada y se lo contó a su hermana, que lo comunicó inmediatamente a mamá. La trasladaron al hospital, donde le administraron la medicación necesaria para provocarle el vómito, permaneciendo ingresada toda la noche en observación.

Al día siguiente Tanya recibió la visita de una trabajadora social del equipo de salud mental, que habló con ella de lo que había ocurrido. También se reunió con sus padres, quienes le comentaron lo rebelde que se había mostrado su hija en los últimos meses, llegando tarde a casa, relacionándose con amigos que no contaban con la aprobación de sus padres y faltando a la escuela. Tanya dijo estar harta de las discusiones y había intentado escapar de todo. Dijo también que sentía haber tomado las pastillas y que temía que eso no hiciera sino multiplicar las peleas en casa.

La trabajadora social sugirió a Tanya y a sus padres que sería una buena idea programar algunas sesiones después del alta para mejorar la comunicación en el seno familiar. Tanya aceptó a regañadientes, y sus padres se sintieron aliviados ante la posibilidad de hablar de sus preocupaciones acerca de cómo abordar las cosas la próxima vez que tuvieran que decir «no» a su hija.

Tanya fue dada de alta dos días más tarde. Durante su estancia en el hospital sus padres habían hablado de cuál sería la mejor manera de tratar su regreso a casa, decidiendo, a pesar de su temor y disgusto, que intentarían comprender lo difícil que estaba resultando la adolescencia para su hija y conversar con ella aprovechando algunas de las ideas que les había sugerido la trabajadora social. Estaban muy apenados por Tanya y tenían muy claro que su seguridad era prioritaria. Aun así, si bien estaban plenamente dispuestos a alcanzar un compromiso con ella en muchas situaciones, habría veces en las que no tendrían otro remedio que decir «no» a sus exigencias.

Tres semanas más tarde Tanya quería ir con sus amigos a un concierto de su grupo favorito de rock. Sus padres sabían que en ocasiones pasaban cosas muy desagradables, incluso peligrosas, en eventos de este tipo. Capaces ahora de hablar con su hija y después de decirle lo satisfechos que se sentirían si regresara a casa a una hora razonable, decidieron darle permiso siempre y cuando aceptara que fueran a recogerla en coche. Tanya dijo que la avergonzarían delante de sus amigos. Sus padres le dieron a elegir entre ir al concierto e ir a buscarla o quedarse en casa. Optó por ir, y al terminar el concierto papá la recogió junto con dos de sus amigas, lo cual le dio la oportunidad de conocer a sus amigos.

CÓMO ABORDAR LOS COMPORTAMIENTOS DE AUTOLESIÓN

> *Creo que era el intenso dolor que me producía lo que me llevaba a hacerme cortes profundos en los brazos y las piernas. Cuando mis amigos me preguntaban cuál era la causa de mi proceder, solía responder: «Si metes una patata en el microondas y luego la sacas, de su interior emana vapor ardiente; la cortas para que se enfríe antes y liberar así el vapor», y eso es lo que acostumbraba hacer. Verme sangrar me hacía sentir como si me estuviera castigando. Me sentía mucho mejor.*
>
> Ella, 15 años

En ocasiones los jóvenes que están muy disgustados o molestos se autolesionan como una forma de aliviar la tensión. Suelen cortarse en las muñecas o antebrazos, con un cuchillo, una hoja de afeitar, un cristal roto o cualquier otro utensilio agudo. Según dicen, el dolor que experimentan es preferible al sufrimiento emocional que los lleva a autolesionarse, aliviando su estado de extrema tensión. Esto puede ser muy difícil de entender para un adulto, y los padres suelen enojarse muchísimo y reprender a sus hijos ante tal comportamiento. Personalmente, como terapeuta, me ayuda a comprenderlo un poco mejor cuando recuerdo a muchas personas que en situaciones de estrés también usan técnicas que implican la autolesión como una alternativa de evasión (por ejemplo, punzándose, mordiendo el interior de las mejillas, propinando puñetazos contra la pared, etc.). Las conductas de autolesión son a menudo un hábito que se desarrolla con el tiempo y que el adolescente utiliza como un medio de aliviar la tensión y enfrentarse a sus sentimientos.

No todos los adolescentes que se autolesionan cortándose en la piel sufren una depresión, y sólo algunos de ellos tienen instintos suicidas. Pero en cualquier caso tienen problemas y necesitan ayuda. Si observas marcas o cortes en los brazos de tu hijo pregúntale cómo se los ha hecho y no te sulfures ante respuestas tales como «está de moda» o «todo el mundo lo hace». Haz lo posible por hablar con él sobre este tema y si es necesario busca ayuda externa. La finalidad del tratamiento es, en primer lugar, conseguir que el chico se abra y hable de su comportamiento (con frecuencia se considera un secreto muy personal) y los sentimientos que subyacen debajo del mismo. Y en segundo lugar, ayudarlo a identificar otras formas menos lesivas de enfrentarse a ellos (hablando cuando está disgustado, intentando cambiar los pensamientos negativos o distraerse con otras actividades). A medio y largo plazo se trata de ayudar al adolescente a romper el hábito de autolesión y desarrollar alternativas inocuas y mucho más razonables de abordar sus problemas.

Suicidio y alcohol

El alcohol, per se, no es una causa de suicidio. Sin embargo, los jóvenes vulnerables que beben en exceso corren un mayor riesgo de suicidarse que los demás. Alrededor de una cuarta parte de los adolescentes que se quitan la vida presentan abusivas cantidades de alcohol en la sangre. Está demostrado que el alcohol actúa en el cerebro, reduciendo las vías nerviosas inhibidoras normales que controlan las conductas impulsivas y de autolesión.

En nuestra cultura, muchos jóvenes beben hasta la embriaguez, en ocasiones extrema. Esta pauta de consumo de alcohol en un chico con depresión es preocupante, pues empeora el trastorno. Si es el caso de tu hijo, no lo pienses dos veces y busca ayuda cuanto antes.

Asimismo, la ingesta excesiva de alcohol puede provocar por sí sola trastornos depresivos, y es difícil saber qué fue primero, la depresión o la bebida. Para un adolescente deprimido es muy fácil caer en un círculo vicioso (beber provoca depresión, la cual a su vez fomenta la bebida) en un intento de aliviar el sufrimiento derivado del propio trastorno depresivo (véase Capítulo 4; información sobre problemas con el alcohol).

Capítulo 9

Tratamiento de problemas comunes

Los trastornos depresivos en los jóvenes se presentan de formas diferentes, aunque tienden a afectar hasta un cierto grado a todas las áreas de su vida. Este capítulo examina algunos de los problemas comunes que pueden surgir en la relación de los padres con un hijo con depresión.

Depresión y escuela

Los adolescentes que sufren trastornos depresivos a menudo tienen serias dificultades escolares y se muestran reacios a asistir a las clases. Muchas veces sufren un estado de ansiedad derivado de la depresión, que se manifiesta en forma de síntomas físicos a la hora de ir a la escuela por la mañana y que remiten paulatinamente a medida que avanza el día. Entre estos síntomas destacan las náuseas, dolor de estómago, fatiga y debilidad. Si finalmente van a la escuela, también suelen remitir poco a poco durante la jornada incluso hasta desaparecer. Hay que tener muy presente que no se trata de síntomas imaginarios o fingidos, sino de un verdadero estado de ansiedad. Otros chicos pueden experimentar una sensación de pánico ante la idea de ir a la escuela y los atenaza un miedo que son incapaces de explicar.

Aunque algunos adolescentes deprimidos sin duda necesitarán permanecer en casa durante algún tiempo en régimen de tratamiento, es muy importante que regresen a la escuela lo antes posible, empezando por ejemplo a media jornada, si bien es cierto que a muchos jóvenes les desagrada la idea ante la expectativa de sentirse «diferentes» de los demás. Es probable que necesiten el máximo apoyo para persuadirlos, y tal vez sea preciso que los acompañe su padre o su madre los primeros días para sentirse más seguros. Los largos períodos de ausencia escolar suelen complicar las cosas; el miedo de ser incapaces de ponerse al día en los estudios va en aumento.

Otros jóvenes con trastornos depresivos asisten a la escuela sin mayores problemas, pero su rendimiento en clase se deteriora a causa de dificultades de concentración y organización. Los más perfeccionistas pueden dedicar cada vez más horas a las tareas escolares en casa, invariablemente insatisfechos por no ser capaces de hacer lo suficiente o hacerlo mal. Otros en cambio pueden perder interés por el estudio y mostrar indiferencia, lo cual les ocasionará problemas en la escuela y será más difícil persuadirlos de que vayan.

Es una buena idea informar al tutor del chico de todas estas dificultades. Cuando lo saben, la mayoría de las escuelas, aunque la verdad es que no todas, cooperan con él y lo apoyan, ampliando en lo necesario los límites de tolerancia.

Depresión y exámenes

Quien más quien menos ha experimentado la sensación de examinarse: estresante donde las haya. Pero existen muy pocas evidencias que demuestren que los exámenes aumenten el riesgo de depresión o suicidio. Los índices de suicidio en los jóvenes no parecen incrementarse en la época de exámenes o de los resultados obtenidos.

Sin embargo, algunos adolescentes no reaccionan del mismo modo, y a medida que se aproxima el día del examen su estado de ansiedad aumenta y los bloquea psicológicamente. Por su parte, quienes tienen un bajo nivel de autoestima y una personalidad de por sí ansiosa, y son extremadamente perfeccionistas, siempre con la idea fija de que dar lo mejor de sí es insuficiente, son los que corren un mayor riesgo. A menudo se trata de adolescentes cuyo sentido de la valía se basa en el éxito académico y que carecen de otros «escapes» tales como amigos, deportes o hobbies a modo de mecanismos de liberación emocional.

Con frecuencia los padres se preguntan si el límite no estará entre el estrés «normal» ante la proximidad de un examen y la depresión. La mayoría de los que se han esforzado para ayudar a sus hijos en estos difíciles períodos del curso escolar coinciden en que, a diferencia de la ansiedad profunda, los trastornos graves del sueño y la desesperanza, así como cualquier tipo de comportamiento de autohumillación, los cambios en el estado de ánimo, la irritabilidad, las pautas desordenadas de alimentación y la extremada autoabsorción se pueden considerar propios de un estado de «normalidad». En el Capítulo 2 se incluye información útil para ayudar a los padres a reconocer los trastornos depresivos en los adolescentes.

Si tu hijo sufre depresión y debe afrontar un examen importante, es aconsejable evaluar si es conveniente que se presente o que lo demore otro año, pues es muy improbable que sea capaz de rendir al máximo durante el estado depresivo. Aun así, algunos chicos se empeñan en examinarse. En tal caso necesitarán todo el apoyo posible. En el peor de los casos, siempre podrá repetir el examen cuando se haya recuperado. Marie Murray ha escrito un excelente libro, *Surviving the Leaving Cert*, para padres de estudiantes que deben examinarse en la Universidad, aunque es igualmente válido para la selectividad (examen de acceso a la Universidad) al término de la educación secundaria.

Tu hijo no pedirá ayuda

Tal como hemos visto en el Capítulo 5, no todos los jóvenes con trastornos depresivos necesitan tratamiento psiquiátrico especializado, sino sólo los que sufren una depresión grave cuya salud se ve afectada por un exceso o insuficiencia en la alimentación, aquellos que muestran un comportamiento extremadamente retraído y son incapaces de relacionarse con normalidad, quienes han experimentado un «corte» entre imaginación y realidad y creen estar muy enfermos o manifiestan instintos suicidas.

También en el Capítulo 5 se han descrito diferentes enfoques para persuadir a tu hijo para que acepte la ayuda que le ofreces. La mayoría de los adolescentes acaban aceptándola, pero algunos se niegan rotundamente. Su negativa se debe habitualmente a una mezcla de miedo y del pensamiento negativo derivado de la depresión. En cualquier caso, su proceder dependerá en última instancia de la gravedad de la situación. Si tu hijo permanece encerrado en su habitación durante largas horas, sospechas que pueda abrigar ideas suicidas o de autolesión o da la impresión de haber perdido el contacto con la realidad, ofrécele toda la ayuda que esté a tu alcance. Podrías hablar con tu médico de familia, acudir a los servicios locales de salud mental y solicitar una cita. Entretanto, adopta un enfoque global que incluya a los dos padres y tal vez a otros parientes, manifestando a tu hijo tus preocupaciones y comentándole que tiene una cita con el psiquiatra, lo que eso significa y quién lo acompañará. Es muy difícil para un adolescente rehusar un enfoque sereno, unido y firme de este tipo. No siempre da resultado, pero merece la pena intentarlo.

Si no funciona, habla tú mismo con el personal del servicio de salud mental. Algunos centros disponen de enfermeras de psiquiatría en plantilla que cursan visitas domiciliarias y están perfectamente capacitadas para comunicarse con personas con depresión que se niegan a salir de casa.

El ingreso no voluntario en un hospital psiquiátrico está reservado para aquellos cuya enfermedad mental supone un grave riesgo para su vida o la de cuantos lo rodean, aunque se da en contadas ocasiones. La edad a la que un chico puede ser ingresado en régimen no voluntario en un hospital psiquiátrico y el mecanismo de tramitación de la admisión varían de un país a otro. Consúltalo con tu médico de familia o directamente con el servicio de salud mental de tu localidad.

Trastornos del sueño

Son comunes en los jóvenes que sufren un trastorno depresivo, que a menudo tardan varias horas en conciliar el sueño o que se despiertan con frecuencia. Los trastornos del sueño son particularmente habituales cuando no existe una rutina en la vida del chico, cuando puede dormir hasta mediodía y luego es incapaz de conciliar el sueño hasta las cuatro o las cinco de la madrugada del día siguiente.

Sugiere a tu hijo una rutina de sueño, como por ejemplo tomar una bebida caliente y cenar un poco, tomar un baño o una ducha y acostarse a la misma hora que el resto de la familia, leyendo o escuchando música relajante hasta quedarse dormido. La mayoría de los adolescentes tienen dificultades para ceñirse a una rutina de este tipo, pero vale la pena probarlo.

Tener que levantarse por la mañana para ir a la escuela o al trabajo hace menos probable que el muchacho caiga en la pauta «despierto toda la noche/dormido todo el día». Pero aun con una rutina diaria repetitiva, algunos adolescentes sufren graves trastornos del sueño que parecen estar relacionados directamente con la depresión. Algunas medicaciones antidepresivas también facilitan el sueño, mientras que otras no hacen sino empeorar aún más si cabe el problema. Háblalo con el médico de tu hijo. La mayoría de los doctores se muestran reacios a prescribir somníferos a los jóvenes. Es comprensible. Sin embargo, cuando el trastorno es muy severo, se puede administrar durante un breve período de 3 a 4 semanas para ayudar a romper un ciclo perturbador que puede provocar ansiedad acerca de la incapacidad para dormir, lo cual empeora aún más el trastorno.

Agresividad e irritabilidad

Los comportamientos agresivos e irritables son normales en una depresión adolescente, y a menudo los síntomas más evidentes. En general la agresión es verbal, y las más de las veces es una respuesta a la orden de hacer algo que no quiere hacer. En este sentido, el enfoque de «pulsar el botón de "pausa"» (el tuyo) descrito en el Capítulo 7 puede contribuir a reducir la agresividad e irritabilidad. La agresión física, que puede incluir romper muebles, ventanas o enseres domésticos, no debería tolerarse a pesar de la depresión. De ocurrir, es aconsejable sugerir al chico que repare o sustituya los objetos que ha destruido aunque le lleve algún tiempo hacerlo.

La violencia física grave a los miembros de la familia es rara, aunque puede ocurrir. Es más habitual en los jóvenes con depresión que ya han demostrado dificultades de comportamiento durante algunos años antes de sufrir el trastorno depresivo. En situaciones extremas puede ser necesario avisar a la policía. Estar deprimido no justifica lesionar a alguien.

Depresión y bullying

Existe una estrecha relación entre la depresión y el bullying. Muchos adolescentes que han sufrido trastornos depresivos cuentan que el acoso al que estaban sometidos fue una de las causas principales de su depresión. Los preadolescentes con trastornos depresivos son muy vulnerables al bullying, pues se muestran retraídos y no tienen amigos.

Por otra parte, los acosos que sufren los adolescentes son a menudo más de tipo psicológico y puede ser difícil describirlos. Ser excluido de actividades que están planeando sus «amigos», recibir mensajes escritos crueles o insultantes o hacer circular rumores inciertos sobre ellos son experiencias que algunos jóvenes tienen que sufrir a diario:

> *Me sentía terriblemente acosado. No sé cómo podía soportarlo. La verdad, algunos días era incapaz de hacerlo. Estaba convencido de que era culpa mía que no gustara a quienes me hacían la vida imposible. Te entra esta idea en la cabeza y ya no puedes quitártela; está constantemente ahí, crucificándote a todas horas hasta que enloqueces.*
>
> Luke, 14 años

¿Qué puedes hacer si sospechas que tu hijo está siendo objeto de acoso? Intenta hablar con él y buscad juntos la estrategia más adecuada para «tratar» al sujeto o sujetos acosadores. A muchos adolescentes les resulta difícil admitir que alguien los acobarda. Esto se debe a una mezcla de vergüenza, sentimiento de culpa y miedo a que el comentario público de la situación empeore las coses. Sé sensible con estos sentimientos y temores.

En cualquier caso, ante la menor duda, habla con el director de la escuela. El bullying psicológico, en ocasiones muy sutil, puede ser muy difícil de detectar: insultos, segregación, prohibición de participar en excursiones y salidas escolares, etc. Actualmente, muchas escuelas disponen de una activa política antibullying, mostrándose extremadamente sensibles a los deseos de los chicos acosados de que se proteja su identidad.

Capítulo 10

Lo que puedes aprender de tu hijo una vez restablecido de su depresión

Carol Fitzpatrick, John Sharry, Suzanne Guerin y Katherine O'Hanlon

¿Qué es lo que contribuye realmente a superar un trastorno depresivo? Sabemos bastante bien, a partir de los numerosos estudios e investigaciones realizados sobre este tema, cuáles son los factores que aumentan el riesgo de desarrollo de una depresión en un adolescente, pero relativamente poco de lo que lo ayuda a recuperarse. La mayoría de los jóvenes con trastornos depresivos se restablecen, pero algunos corren el riesgo de sufrir nuevos episodios depresivos durante su vida (véase Capítulo 1). Sabemos que algunas formas de terapia, como la terapia conductista cognitiva (TCC), son eficaces en los casos de depresión leves y moderados, mientras que la medicación antidepresiva combinada con la TCC puede dar buenos resultados en los trastornos de mayor gravedad. Pero lo cierto es que pocas investigaciones se han realizado en las que se haya solicitado a los adolescentes sus puntos de vista acerca de cómo sentían realmente la experiencia de la depresión, cómo los afectó y qué los ayudó a superarla.

El estudio *Working Things Out*

El reciente estudio *Workings Things Out* fue realizado conjuntamente por el Colegio Universitario de Dublín y el Departamento de Psiquiatría Infantil y Familiar en el Mater Hospital de Dublín. Su objetivo era recoger las opiniones de jóvenes que se habían recuperado de una depresión en relación con su experiencia y lo que había contribuido a superarla. El estudio consistía de entrevistas en profundidad con dos grupos de adolescentes. El primero había recibido tratamiento en el Departamento de Psiquiatría Infantil y Familiar, mientras que los integrantes del segundo también habían sufrido un trastorno depresivo, pero no habían acudido a los servicios de salud mental. Los chicos y chicas seleccionados eran estudiantes de secundaria, tenían entre 13 y 16 años y todos habían superado el período crítico del trastorno en el momento de la entrevista. Se les solicitó su consentimiento para participar en el proyecto, al igual que a sus padres, autorizando a que la información quedara, siempre de forma anónima, a la disposición de otros adolescentes con dificultades y de los profesionales de la psiquiatría. Eran conscientes de que sus ideas podían utilizarse en el futuro para el desarrollo de un programa de tratamiento para adolescentes con depresión y se sentían plenamente satisfechos de poder hacerlo.

Todas las entrevistas fueron realizadas por la psicóloga Katherine O'Hanlon, que no formaba parte del equipo clínico que los había atendido, lo cual hizo que los chicos se sintieran lo bastante cómodos como para comentar los aspectos positivos y negativos del tratamiento recibido. Las entrevistas eran de final abierto, de manera que era el propio entrevistado quién determinaba la mayor o menor duración del encuentro a tenor del tiempo que necesitara para dar su opinión. En la práctica, la entrevista más corta fue de 45 minutos, y la más larga de 1 hora y 45 minutos. Las entrevistas se grababan en vídeo y luego se transcribían y analizaban en busca de factores comunes.

En este proyecto no utilizamos los términos «depresión» o «trastorno depresivo» cuando hablábamos con los jóvenes, ya que raramente calificaban de este modo su experiencia, sino «haber pasado por un período difícil en tu vida cuando estabas "abatido" y todo parecía extremadamente complejo». Así era cómo definían los entrevistados la experiencia que nosotros llamaríamos «trastorno depresivo».

Las entrevistas se realizaron de un modo que estimulaba la respuesta. Se les preguntaba cómo se sentían cuando estaban deprimidos, qué pensamientos los hacían sentir así y qué los había ayudado a superar el trance.

En el proyecto tomaron parte veintiún adolescentes, once chicos y diez chicas, y sólo la mitad de ellos habían recibido tratamiento especializado en el departamento. El más joven tenía 13 años, y los demás, entre 14 y 16. Lo más curioso fue el entusiasmo con el que intervenían. Parecían valorar muy positivamente que se les considerara «expertos en períodos difíciles» y se sentían muy satisfechos de que toda aquella información pudiera ayudar a otros chicos en su misma situación.

¿Cómo se sentían durante el período de depresión?

Muchos de los jóvenes describieron sus experiencias de depresión con gran detalle, utilizando palabras tales como «triste», «solo», «confuso», «disgustado», etc., pero sólo un tercio usaron «deprimido». Algunas de las descripciones se incluyen en la p. 19 y en las citas de p. 122 y siguientes. El sentimiento de aislamiento (interrumpir la relación con los demás o entrar en conflicto con ellos) salió a colación desde el principio, así como el sentimiento de desesperanza, de que las cosas ya no cambiarían nunca más. La mitad de los entrevistados dijeron haber considerado el suicidio, y una cuarta parte de ellos lo habían intentado.

Pérdida de confianza

Bueno, supongo que te sientes muy triste y pierdes la confianza en ti mismo. No hablas con tus amigos y no disfrutas haciendo nada. Todo cuanto antes habías previsto para el futuro, ya no importaba.

David, 15 años

Pérdida de interés

No podía levantarme de la cama por la mañana. Nada despertaba mi interés. Simplemente veía pasar el tiempo.

Luke, 14 años

Mal humor

Me enfadaba enseguida. Cualquier cosa podía disgustarme, incluso una insignificante pelea con uno de mis amigos. Me enfurecía; no podía evitarlo.

David, 15 años

Enfado

En ocasiones me ponía furibundo y arremetía verbalmente contra todo y contra todos. Si nadie me detenía, incluso era capaz de agredir.

Gary, 14 años

Sí, estaba de muy mal humor y me disgustaba por cualquier cosa. En casa me dormía por los rincones. Si mamá me pedía que hiciera algo, le respondía a gritos. No sé por qué lo hacía, pero era así.

Beckie, 14 años

Concentración

No podía concentrarme. Mi cabeza siempre estaba en otra parte. Ni siquiera sabía en lo que estaba pensando. Ahora estaba concentrada y un segundo después vagaba por mi pequeño mundo. Empecé a sacar malas notas. Era imposible rendir en la escuela. Me sentía fatal. Los profesores me reprendían porque no entregaba los proyectos a tiempo. Cosas así...

Shellie, 15 años

Cuando murió mi abuelo, dejé de estudiar en la escuela. La cabeza me daba vueltas y más vueltas. En realidad, dejé de estudiar y de hacer cualquier otra cosa. Nada ni nadie era capaz de motivarme. Carecía de sentido.

Martin, 15 años

Asumir riesgos

No me preocupaba pensar en la muerte. Si ocurría, pues ocurría, ya está. Corría riesgos absurdos, y conservar la vida no era una de mis prioridades.

David, 16 años

Pensamientos suicidas

Piensas «todo será mejor cuando te hayas ido», «mi familia estará bien» y cosas por el estilo. Es algo así como si también quisieras hacerlo por los demás además de odiarte tanto a ti mismo.

Sean, 15 años

Solía pensar mucho en el suicidio. Luego, cuando mis padres comprendieron lo mal que me encontraba, fue lo primero que se les pasó por la cabeza, aunque les faltaba el valor necesario para preguntármelo. Era lógico. A mí me habría ocurrido lo mismo. Creo recordar que fui yo quien se lo dije, y me respondieron: «No lo hagas, si alguna vez te sientes así, acude a nosotros». Sí, creo que fue por ellos. De no haber tenido una familia que me respaldara, es muy probable que ahora no estuviéramos hablando.

Jack, 15 años

Bebida

Bebía muchísimo. Te sentías muy bien. Independientemente de lo que ocurriera, no te importaba. No te enterabas de lo que realmente estaba pasando.

Martin, 15 años

Drogas

Sólo me sentía relajado cuando fumaba hashish. Era el único momento en que me sentía bien... Fumaba más y más... Es muy fácil habituarte.

Brian, 16 años

¿Cuál creen que pudo haber sido la causa de la depresión?

Más de un tercio de los adolescentes entrevistados mencionaron las dificultades familiares como una de las principales razones de cómo se sentían, y entre ellas, las discusiones y peleas entre los padres, y la separación matrimonial:

Hacía cuatro años que mis padres se habían separado. Desde entonces nada había vuelto a ser igual. La primera vez que se separaron era pequeño y no estaba seguro de lo que realmente estaba pasando, y ahora, ¿sabes?, siguen peleándose. Están separados, pero las discusiones nunca terminan. No se hablan demasiado, excepto cuando es estrictamente necesario, y siguen y siguen las peleas. Supongo que ya me he acostumbrado.

Gary, 14 años

No diría que me deprimiera cuando pasó [la separación de sus padres]. *Estaba triste y muy afectada, pero creo que no deprimida. Pero al cabo de un año empecé a notar que algo estaba cambiando en mi interior. No me sentía bien, estaba triste a todas horas y tenía muchas dificultades en la escuela. Me costaba horrores hablar con la gente y perdí la confianza en mí misma.*

Sue, 15 años

Solía regresar de la escuela y aún estaban discutiendo. Estaba convencido de que discutían por mí, pero luego comprendí que era por la adicción a la bebida de mi madre. De haber sido por mí, tal vez no se hubieran separado.

Brian, 16 años

Una quinta parte de los chicos mencionaron el bullying como una razón de su depresión. A menudo el acoso había sido prolongado e intenso. Nunca lo habían comentado con nadie, hasta que al final apareció la crisis en forma de intento de suicidio:

Me pedían dinero y no me lo devolvían. Si me negaba, me obligaban a dárselo. En el patio me arrinconaban y no me dejaban hacer nada. Los niños pueden ser tan crueles... Me pongo malo sólo de pensarlo... Me pegaban pocas veces, pero cuando lo hacían, dolía..., ya sabes lo que quiero decir. Y luego todos los comentarios estúpidos de cada día. Conseguían que me sintiera fatal.

Paul, 13 años

Estaba tan deprimido que incluso llegué a enfermar, de manera que me llevaron al hospital. Iban a hacerme una biopsia o algo así. Luego, por alguna razón, me llevaron a un psicólogo y acabó saliendo lo del bullying.

Brian, 14 años

Alrededor de una cuarta parte de los jóvenes entrevistados no identificaron ninguna causa particular de su depresión.

¿QUÉ FUE LO QUE MÁS LOS AYUDÓ A SUPERAR LA DEPRESIÓN?

La razón más repetida fue «decirle a alguien» lo que les estaba pasando. Tres cuartas partes de los chicos lo consideraron útil. A menudo mencionaron a uno de los padres, casi siempre a mamá, pero a veces su padre o un hermano o hermana mayor. Contárselo a los amigos también los ayudaba a sentirse mejor, aunque casi siempre lo hacían después de haber hablado con sus padres:

Para mí fue hablar con mamá. Contarle a alguien lo que ocurría y saber que te escuchan. Sí, creo que fue hablar con la gente lo que más me ayudó. Me liberé de un peso enorme.

Kate, 15 años

Hablar de ello fue muy positivo. Se lo conté a mi madre y me ayudó a quitarme aquel nudo en el estómago. Me dijo que en realidad no era un médico lo que podía hacer sentirme mejor, sino hablar.

Mark, 14 años

Mi familia siempre estuvo allí; eran fantásticos. Podía hablar con ellos y nunca se enojaban. Ni siquiera por mi caída en picado del rendimiento escolar.

Don, 16 años

Casi tres cuartas partes de los jóvenes mencionaron que «hacer algo para distraerse» cuando se sentían muy mal les había ayudado. En ocasiones era una actividad de lo más ordinaria, como dar un paseo o escuchar música. Ser capaces de hacer «algo creativo», como arte o escribir poesía, aliviaba su más que pésimo estado de ánimo:

> *La música libera tus emociones.*
>
> Gerry, 14 años

> *La música era una especie de terapia para mí. Escuchaba música de diferentes estilos según me sintiera mejor o peor. Elegía la más apropiada para cada situación.*
>
> Mark, 14 años

> [El arte] *me relajaba, me permitía expresarme creativamente en lugar de agresivamente. Era algo que era capaz de hacer y de lo que me sentía orgulloso.*
>
> David, 16 años

> *Solía salir de paseo con mis amigos. Procuraba hacer algo en lugar de sentarme en algún portal o en un banco del parque dándole vueltas y más vueltas a la cabeza. Me evadía y me despejaba.*
>
> Vicky, 14 años

La confianza en uno mismo fue mencionada por varios entrevistados, incluyendo intentar solucionar algo por sí mismos o hacer cosas difíciles:

> *Aunque te sintieras mal, te obligabas a levantarte por la mañana para ir a la escuela. Dado que a nadie le gusta la escuela y tú vas, te sentías como si hubieras hecho una hazaña.*
>
> Mark, 14 años

Me aislaba de todo y pensaba. Eso fue lo que más me ayudó.

Shellie, 15 años

Dos chicos mencionaron las «terapias alternativas», concretamente la acupuntura y la terapia cráneosacral:

Tendrías que ir [a las sesiones de acupuntura] *para saber lo que es. Hay puntos de presión en todo el cuerpo que alivian la tensión y el estrés, y a veces incluso la enfermedad. Te sientes mucho mejor. El primer día es horrible, pero luego te sientes genial.*

Ken, 14 años

Quince de los veintiún participantes en el estudio habían recibido algún tipo de «ayuda profesional», incluyendo la psicología o la terapia, y a la mayoría de ellos les había parecido una experiencia positiva y relajante:

Puedes hablar con alguien y te sientes arropado. Incluso puedes aprovechar algunas ideas. Pero lo más importante es poder hablar de tus sentimientos y de cuanto te apetezca.

Wendy, 14 años

La persona que me atendía era estupenda. Podía contárselo todo, simplemente hablar.

Ciaran, 15 años

Tenía a alguien con quien hablar de cosas que a cualquier otra persona parecerían triviales, pero que eran interesantes para mí.

Aaron, 14 años

Dos de los chicos entrevistados tenían puntos de vista más contrapuestos acerca de la ayuda profesional que habían recibido:

Ibas allí un par de veces por semana y había que fastidiarse, cuando todo lo que querías era sentarte y relajarte, o salir el sábado con los amigos. Lo último que deseabas es que te metieran en el coche y te arrastraran hasta el hospital más próximo, a veces a tres horas de viaje, sentarte media hora en un lugar extraño decorado a lo «bebé», con pósters de Blancanieves en las paredes. Estabas allí sentado durante media hora, luego entraban y hablabas una hora. Salías agotado, cansado de no haber hecho nada positivo, de haber tenido que madrugar, aburrido de estar aburrido y con una receta de montones de píldoras bajo el brazo. Algunas cosas tal vez te ayudaban, pero en realidad empeoraba la situación con nuevas dificultades, otra bala de paja sobre las balas de paja.

David, 16 años

Si lo piensas bien, no es una experiencia agradable ir y hablar con gente. No te gusta comentar estas cosas, no quieres... Lo que realmente deseas es olvidarlas e intentar seguir adelante... ¿Me preguntas si me ayudó? No sabría qué decirte.

Bill, 15 años

Dos entrevistados se mostraron muy críticos con la ayuda profesional:

Me disgustaba el psicólogo. Era como si tuviera siete añitos y se dirigieran a mí con palabritas para bebés. Ya sé que puede parecer arrogante por mi parte, pero yo era un chico inteligente y no soportaba aquel trato.

Eddie, 14 años

Las preguntas que me formulaban eran ridículamente condescendientes. Incluso la forma en la que te miraban, tan severa. Era como estar en una celda... y tenías la sensación de que siempre pensaban lo mismo: «Pobre muchacho, está medio loco».

Jason, 15 años

Nueve de los veintiún entrevistados recibieron «medicación antidepresiva», y a seis de ellos les dio muy buenos resultados:

Al principio no quería [tomar la medicación]. *Me parecía una estupidez. Pero luego pensé que tal vez me ayudaría. Cuando la tomas no funciona, no te sientes mejor en un abrir y cerrar de ojos, pero después de algunas semanas, surte efecto. Tenía más energía y volvía a ser yo.*

Paul, 14 años

Creo que la medicación que estoy tomando va bien. Me quita las preocupaciones. Me enfado menos que antes. No comenté a nadie que seguía un tratamiento; ya sabes, probablemente pensarían..., bueno..., en fin..., no sé como decirlo..., loco..., no loco sino... vaya, no sé, algo por el estilo.

Nessa, 14 años

Los probé [antidepresivos] *y creo que dieron buenos resultados. No estoy seguro, es un poco ridículo ¿no?. ¿Cómo puede una pastilla cambiar tu forma de pensar? No lo sé, quizá fuera pensar lo que me hacía sentir mejor.*

John, 15 años

La opinión de otros dos chicos era radicalmente diferente:

No he notado ninguna diferencia, pero papá y mamá me acompañaron al psiquiatra la última vez y le dijeron que habían observado importantes cambios en mi comportamiento. Estaba más des-

pejado y ayudaba en casa. Tal vez, pero desde luego, yo no noté absolutamente nada de particular.

Peter, 15 años

Después de «x» semanas tomando aquellas píldoras te sientes más vivo, o por lo menos eso es lo que piensan todos. Personalmente me parece absurdo tener que decir: «¡Vaya!, ¡ya no estoy triste!, ¡ja, ja...!». Prefiero vivir el día a día y disfrutar del presente. Tal vez con el tiempo surtan efecto. Por ahora no, a pesar de lo que digan.

Frank, 16 años

Uno de los chicos tenía una opinión muy negativa de la medicación y había rehusado tomarla:

Odio la idea de que tomando algo te sentirás mejor. Eres tú quien debe ayudarse sin depender de fármacos ni de cualquier otra cosa.

Sue, 15 años

Conclusiones

Los resultados de este estudio no se pueden aplicar a «todos» los jóvenes con depresión. Otros pueden tener opiniones diferentes. Los veintiún entrevistados participaron voluntariamente, tal vez más capaces de hablar de sus experiencias y más positivos en sus puntos de vista. A pesar de estas posibles reservas, lo que tienen que decir es sin duda alguna muy interesante. Contarle a alguien cómo se sentían cuando estaban deprimidos lo consideraban como una ayuda muy importante que les permitió sobrellevar mejor aquel «tiempo difícil». Ese alguien era, a menudo, papá o mamá. La música, el arte y la expresión creativa los ayudó a superar las dificultades. Su perspectiva acerca de la ayuda profesional y el uso de medicación antidepresiva, claramente expresada, nos ayudó a comprender mejor la difícil experiencia que suponía para ellos aceptar una «ayuda» formal y nos desafió, como profesionales, a buscar nuevas formas de apoyo más ajustadas a sus necesidades.

Capítulo 11

Depresión: expectativas de futuro

La mayoría de los adolescentes con trastornos depresivos mejoran. Estudios recientes demuestran que, con un seguimiento adecuado, el 70-80% de ellos experimentan una considerable mejoría a los dos años del diagnóstico inicial. Esta mejoría no está relacionada con ningún enfoque especial de tratamiento, y en algunos casos se produce sin haber recibido medicación. Esto es sin duda muy positivo, pero lo cierto es que en el transcurso de una depresión son innumerables los factores que pueden afectar al futuro del chico: relaciones interrumpidas, oportunidades educativas que se han dejado escapar, incluso vidas perdidas. Merece pues la pena ofrecer asistencia precoz a los jóvenes con trastornos depresivos graves para que puedan superar cuanto antes la situación.

Una de las principales preocupaciones de la mayoría de los padres de adolescentes que han sufrido un episodio de depresión es que ésta se reproducirá. Esto es realmente así si existe un profundo historial familiar depresivo, en el que se sabe que algunos miembros de la familia han tenido que cargar a cuestas con una depresión toda la vida.

ESTADÍSTICAS

Son innumerables los estudios realizados con jóvenes diagnosticados de trastornos depresivos. Los resultados muestran que entre el 40% y el 60% de los que sufrieron un episodio en la adolescencia tienen otro en la vida adulta. Aunque parezca alarmante, eso también significa que entre el 40% y el 60% de estos jóvenes nunca volverán a experimentarlo.

¿Quién corre un mayor riesgo de sufrir un nuevo episodio? Por lo que sabemos hoy en día, no es posible predecirlo. Existen algunos indicadores generales, pero no identifican riesgos individuales. Por ejemplo, se sabe que los adolescentes que proceden de familias en las que varias personas han desarrollado una depresión tienen un mayor riesgo de recurrencia que los demás. También se sabe que quienes están inmersos en situaciones complejas, tales como conflictos entre los padres, incapacidad para hacer amigos o fracaso escolar, corren también un riesgo más elevado. Las estadísticas demuestran que todos ellos son «factores de riesgo», lo cual no significa que todos los chicos que viven en estas circunstancias vayan a sufrir inevitablemente ulteriores episodios de depresión.

Algunos de estos factores de riesgo no son susceptibles de control: es imposible cambiar el historial familiar, no puedes hacer amigos para tu hijo. Pero siempre hay algo que puedes hacer. Intenta potenciar la confianza en sí mismo de tu hijo, aprovechando algunas de las ideas descritas en el Capítulo 7. Si se siente más seguro de sí mismo, es más probable que haga amigos. También puedes intentar hacer algo para mejorar la situación si existe un conflicto o escasa comunicación entre tú y tu pareja. En ocasiones es decisivo el hecho de vivir juntos o separados.

Si has hecho todo cuanto estaba en tus manos para ayudar a tu hijo durante una depresión, te será mucho más fácil reconocer los signos de alerta que presagien un nuevo episodio. Sabrás por experiencia lo que dio resultado la vez anterior y tendrás ideas eficaces para apoyarlo desde el principio, previniendo muy posiblemente que la situación se complique. Si tu hijo ha seguido un tratamiento antidepresivo, una parte del mismo habrá consistido en aprender a identificar estos signos y a poner en marcha un plan predeterminado si sospechas que pueda repetirse la depresión.

¿«Efectos positivos» de la depresión?

¿Existen «efectos positivos» de la depresión? Desde luego, por nada del mundo desearías que alguien de tu familia sufriera un trastorno depresivo, y lógicamente te resultará imposible pensar que la depresión de tu hijo pueda tener algún «efecto positivo». Pero una vez superado, a menudo es posible ver cómo ha crecido y madurado. Recuperarse de una depresión requiere valor y esfuerzo, y puedes sentirte muy orgulloso de que tu hijo lo haya conseguido. Si eres capaz de dárselo a entender, lo ayudarás a verse una nueva luz.

Los adolescentes que han sufrido un trastorno depresivo se muestran comprensivos con otros que puedan estar pasando por momentos difíciles en su vida. Saben que con frecuencia las cosas no son cómo afloran a la superficie. Haber experimentado «la oscuridad y las profundidades» les permite ser más sensibles con quienes se encuentran en su misma situación. En nuestro estudio con adolescentes que habían sufrido una depresión, nos ha emocionado la generosidad y entusiasmo con los que compartieron sus historias y sus ideas acerca de lo que los ayudó a sentirse mejor con el fin de poder ayudar a otros jóvenes que están sufriendo trastornos depresivos.

EL CEREBRO Y LA DEPRESIÓN: INVESTIGACIONES

Actualmente se están realizando muchas investigaciones en relación con los factores genéticos de la depresión y los cambios que se producen en el funcionamiento del cerebro durante los episodios depresivos, y es muy probable que nos conduzcan en un futuro próximo a comprender mucho mejor algunos de los aspectos físicos. Pero aún nos queda un largo camino por recorrer para comprender con claridad por qué y cómo se desarrolla una depresión, y lo que quizá sea lo más importante, por qué y cómo se produce la recuperación.

Es posible que en el futuro se puedan cuantificar las probabilidades de una hipotética vulnerabilidad genética a la depresión. ¿Te gustaría saberlo? Personalmente me daría por satisfecha conociendo las medidas que se deberían adoptar para evitarla independientemente de aquella mayor o menor vulnerabilidad. Tal vez exista una forma de alterar los genes o algún tipo específico de medicación antidepresiva capaz de contrarrestar la vulnerabilidad genética. Quién sabe. Quizá también sea posible «entrenar el cerebro» para que piense de un modo determinado: ¿inmunización psicológica?

Aunque estas ideas puedan parecer extrañas, lo cierto es que no podemos predecir cómo será el mundo para nuestros hijos. Los avances en la investigación permiten abrigar esperanzas, y la esperanza es sin lugar a dudas un poderoso antídoto de la depresión.

Las posibilidades futuras son interminables, y tal vez el mayor logro de estos estudios sea la reducción del estigma que rodea la depresión, al tiempo que aprendemos a comprender mejor sus complejidades subyacentes.

El futuro y tu hijo

Muchos padres hablan del gozo que representa ver cómo su hijo emerge gradualmente de un trastorno depresivo. Una sonrisa, oírlo cantar o reír, oír música, etc. son todas ellas cosas en sí mismas ordinarias, pero fuentes de satisfacción y felicidad para los padres de un adolescente con depresión.

Tu apoyo es esencial. No puedes limitarte a esperar que la depresión desaparezca. «Camina con tu hijo», mantén una conexión con él y transmítele esperanza en el futuro. Puede ser un camino largo y difícil, pero llegará el final y serás más fuerte y más sabio.

¡Buen viaje!

Acerca de los autores

Carol Fitzpatrick es profesora de Psiquiatría Infantil en el Colegio Universitario de Dublín y Consultora Infantil y psiquiatra de adolescentes en el Mater Hospital y el The Children's Hospital, en Temple Street, Dublín. Ha realizado numerosas investigaciones y ha dado conferencias acerca de la salud mental de los niños, con un énfasis especial en la depresión y la autolesión.

John Sharry es trabajador social en el Mater Hospital y director de The Brief Therapy Group en Dublín. Ha escrito cuatro libros de autoayuda para padres, incluyendo *Parent Power: Bringing up Responsible Children and Teenagers* (John Wiley & Sons, 2003) y *When Parents Separate: Helping Children Cope* (Veritas, 2001). También es autor de tres libros de psicoterapia: *Solution-focused Groupwork* (Sage, 2001), *Becoming a Solution Detective: A strengths-based Guide to Brief Therapy* (BT Press, 2001) y *Counselling Children, Adolescents and Families* (Sage, 2004).

Ambos son expertos terapeutas que han trabajado con muchísimos niños y familias en temas relacionados con la depresión.

Juntos han diseñado The Parents Plus Programmes, cursos audiovisuales para padres de niños y adolescentes que sufren una amplia diversidad de dificultades emocionales y de comportamiento; dichos cursos gozan de una extraordinaria aceptación en el Reino Unido e Irlanda. Puedes consultar su página web: www.parentsplus.ie

EL NIÑO Y SU MUNDO

Últimos títulos publicados:

38. **Actividades para aprender. El niño de 5 años** - *Julia Jasmine*
39. **Manual para padres** - *Gail Reichlin y Caroline Winkler*
40. **Juegos para desarrollar la inteligencia del niño de 2 a 3 años** - *Jackie Silberg*
41. **Disciplina positiva** - *Jane Nelsen*
42. **Fiestas de cumpleaños infantiles** - *Penny Warner*
43. **Cómo desarrollar la autoestima de tu hijo** - *Silvana Clark*
44. **El despertar al mundo de tu bebé** - *Chantal de Truchis*
45. **Cuentos que ayudan a los niños a superar sus miedos** - *Ilonka Breitmeier*
46. **365 juegos para entretener a tu hijo** - *Trish Kuffner*
47. **De vuelta en casa con el recién nacido** - *Laura Zahn*
48. **Juegos para fomentar la actividad física en los niños** - *Julia E. Sweet*
49. **Juegos para el bienestar emocional de tu hijo** - *Barbara Sher*
50. **Cuentos para contar a tu hijo cuando está enfermo** - *Nicole Zijnen*
51. **Juegos y actividades para realizar en familia** - *Cynthia MacGregor*
52. **Juegos para entretener a los niños durante los viajes** - *Robyn Freedman Spizman*
53. **Hoy lluvia, mañana sol** - *Sabine Seyffert*
54. **365 consejos para el cuidado del bebé** - *Penny Warner y Paula Kelly*
55. **Superpapá** - *Giovanni Livera y Ken Preuss*
56. **Tu hijo juega y aprende** - *Penny Warner*
57. **Qué dicen los bebés antes de empezar a hablar** - *Paul C. Holinger y Kalia Doner*
58. **Descubrir valores a los niños** - *Susanne Stöcklin-Meier*
59. **Juegos para ayudar a aprender a tu hijo** - *Sally Goldberg*
60. **50 consejos para convivir mejor con tus hijos adolescentes** - *Debra Hapenny Ciavola*
61. **Los miedos de los niños** - *Evi Crotti y Alberto Magni*
62. **Las tareas del hogar** - *Gisela Walter*
63. **Las cosas que los padres saben hacer mejor** - *Susan Isaac Kohl*
64. **Videojuegos, internet y televisión** - *Nessia Laniado y Gianfilippo Pietra*
65. **Bullying. El acoso escolar** - *William Voors*
66. **Tu hijo puede pensar como un genio** - *Bernadette Tynan*
67. **Ayudando a vencer la depresión en la gente joven** - *Carol Fitzpatrick y John Sharry*